"다양한 유형의 사고력 문제를 통해
사고력을 향상시킬 수 있는 GO! 매쓰 "

Jump

각 단원별 **사고력** 문제를 **유형**에 따라 학습할 수 있는 **사고력 확장**
GO! 매쓰 Jump로 수학 능력치를 한 단계 점프해 보세요.

3-1

차례

구성과 특징

1 핵심 개념 정리

단원별 핵심 개념을 간결하게 정리하여 한눈에 이해할 수 있습니다.

2 대표 유형 익히기

단원별 사고력 문제의 대표 유형을 뽑아 수록하였습니다. 단계에 따라 문제를 해결하면 사고력 문제도 스스로 해결할 수 있습니다.

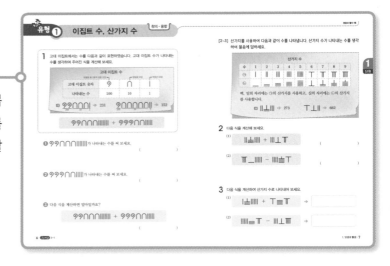

3 사고력 종합평가

한 단원을 학습한 후 종합평가를 통하여 단원에 해당하는 사고력 문제를 잘 이해하였는지 평가할 수 있습니다.

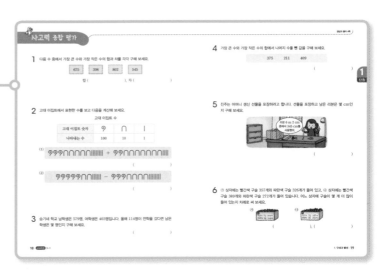

1 덧셈과 뺄셈

✿ (세 자리 수)+(세 자리 수)

- 423+251의 계산

일의 자리끼리, 십의 자리끼리, 백의 자리끼리 계산합니다.

$$\begin{array}{r} 4\ 2\ 3 \\ +\ 2\ 5\ 1 \\ \hline 6\ 7\ 4 \end{array}$$

일의 자리: $3+1=4$
십의 자리: $2+5=7$
백의 자리: $4+2=6$

- 356+128의 계산

같은 자리 수끼리의 합이 10이거나 10보다 크면 10을 바로 윗자리로 받아올림합니다.

$$\begin{array}{r} {}^{1} \\ 3\ 5\ 6 \\ +\ 1\ 2\ 8 \\ \hline 4\ 8\ 4 \end{array}$$

일의 자리: $6+8=14$
십의 자리: $1+5+2=8$
백의 자리: $3+1=4$

- 749+583의 계산

$$\begin{array}{r} {}^{1}\ {}^{1} \\ 7\ 4\ 9 \\ +\ 5\ 8\ 3 \\ \hline 1\ 3\ 3\ 2 \end{array}$$

일의 자리: $9+3=12$
십의 자리: $1+4+8=13$
백의 자리: $1+7+5=13$

✿ (세 자리 수)−(세 자리 수)

- 865−523의 계산

일의 자리끼리, 십의 자리끼리, 백의 자리끼리 계산합니다.

$$\begin{array}{r} 8\ 6\ 5 \\ -\ 5\ 2\ 3 \\ \hline 3\ 4\ 2 \end{array}$$

일의 자리: $5-3=2$
십의 자리: $6-2=4$
백의 자리: $8-5=3$

- 471−238의 계산

같은 자리 수끼리 뺄 수 없으면 바로 윗자리에서 10을 받아내림합니다.

$$\begin{array}{r} {}^{6}\ {}^{10} \\ 4\ 7\ 1 \\ -\ 2\ 3\ 8 \\ \hline 2\ 3\ 3 \end{array}$$

일의 자리: $10+1-8=3$
십의 자리: $7-1-3=3$
백의 자리: $4-2=2$

- 645−397의 계산

$$\begin{array}{r} {}^{5}\ {}^{13}\ {}^{10} \\ 6\ 4\ 5 \\ -\ 3\ 9\ 7 \\ \hline 2\ 4\ 8 \end{array}$$

일의 자리: $10+5-7=8$
십의 자리: $4-1+10-9=4$
백의 자리: $6-1-3=2$

1 고대 이집트에서는 수를 다음과 같이 표현하였습니다. 고대 이집트 수가 나타내는 수를 생각하여 주어진 식을 계산해 보세요.

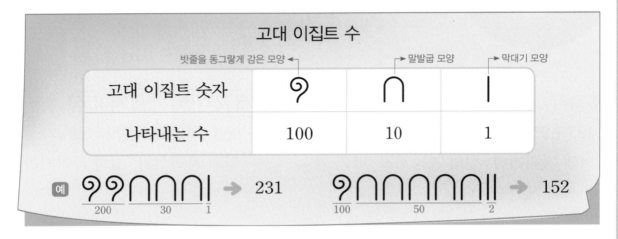

❶ ⟨고대 이집트 숫자⟩가 나타내는 수를 써 보세요.

( )

❷ ⟨고대 이집트 숫자⟩가 나타내는 수를 써 보세요.

( )

❸ 다음 식을 계산하면 얼마일까요?

⟨고대 이집트 숫자⟩ + ⟨고대 이집트 숫자⟩

( )

[2~3] 산가지를 사용하여 다음과 같이 수를 나타냅니다. 산가지 수가 나타내는 수를 생각하여 물음에 답하세요.

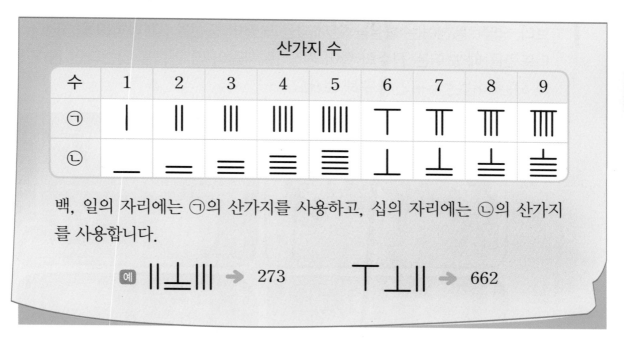

백, 일의 자리에는 ㉠의 산가지를 사용하고, 십의 자리에는 ㉡의 산가지를 사용합니다.

예 ‖⊥‖‖ → 273　　　⊤⊥‖ → 662

2 다음 식을 계산해 보세요.

(1) ‖≣‖‖‖ + ‖‖⊥⊤
　　　　　　　　　　　　　　(　　　　　　)

(2) ⊤_‖‖‖‖ − ‖‖‖≣⊤
　　　　　　　　　　　　　　(　　　　　　)

3 다음 식을 계산하여 산가지 수로 나타내어 보세요.

(1) ‖≣‖‖‖‖ + ⊤≡⊤ → [　　　　　　]

(2) ‖‖‖‖≣⊤ − ‖‖‖⊥⊤ → [　　　　　　]

유형 ② 연속해서 계산하기

문제 해결

1 보라, 영주, 동현이는 화살을 던져 다음과 같이 풍선을 3개씩 터뜨렸습니다. 풍선을 터뜨렸을 때 보이는 점수의 합이 가장 큰 사람이 곰 인형을 갖는다면 곰 인형을 갖게 되는 사람은 누구인지 구해 보세요.

❶ 보라, 영주, 동현이가 얻은 점수는 각각 몇 점인지 구해 보세요.

보라 (   ), 영주 (   ), 동현 (   )

❷ 곰 인형을 갖게 되는 사람은 누구일까요?

(   )

2 준재네 가족은 과수원에서 귤을 700개 따려고 합니다. 다음을 보고 준재는 귤을 몇 개 따야 하는지 구해 보세요.

(   )

3 길이가 8 m인 끈 중에서 진호가 325 cm, 동생이 261 cm를 사용했습니다. 남은 끈은 몇 cm인지 구해 보세요.

(   )

4 ㉡에서 ㉢까지의 거리는 몇 m인지 구해 보세요.

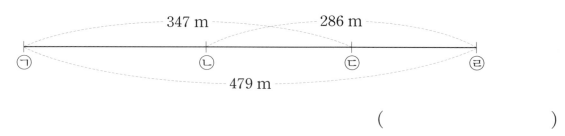

(   )

계산 결과를 비교하기

문제 해결

1 서진이와 나영이는 1모둠이고 준수와 효린이는 2모둠입니다. 각 모둠이 가지고 있는 색 테이프로 게시판을 꾸미려고 할 때, 어느 모둠의 색 테이프 길이가 몇 cm 더 짧은지 구해 보세요.

❶ 1모둠 친구들이 가지고 있는 색 테이프의 길이는 모두 몇 cm일까요?

(   )

❷ 2모둠 친구들이 가지고 있는 색 테이프의 길이는 모두 몇 cm일까요?

(   )

❸ 1모둠과 2모둠 중 어느 모둠의 색 테이프 길이가 몇 cm 더 짧은지 차례로 써 보세요.

(   ), (   )

2 보미가 어제와 오늘 먹은 간식의 칼로리입니다. 어제와 오늘 중 언제 먹은 간식의 칼로리가 몇 킬로칼로리 더 높은지 차례로 써 보세요.

	피자 1조각	새우튀김 1인분
어제	252킬로칼로리	538킬로칼로리
	라면 1그릇	샌드위치 2조각
오늘	448킬로칼로리	396킬로칼로리

(   ), (   )

3 수영장에서 집으로 가는 길은 공원을 거쳐서 가는 길 ㉮와 도서관을 거쳐서 가는 길 ㉯가 있습니다. ㉮와 ㉯ 중 어느 길이 몇 m 더 짧은지 차례로 써 보세요.

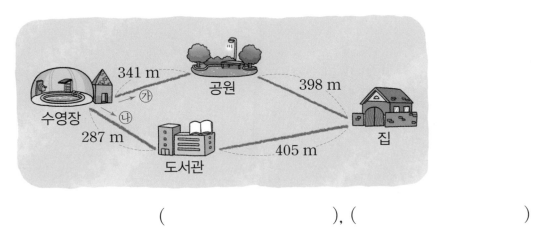

(   ), (   )

1 두 수를 골라 합이 가장 크게 되는 식을 만들고 계산해 보세요.

| 513 | 362 | 472 | 299 |

$\boxed{} + \boxed{} = \boxed{}$

❶ 알맞은 말에 ○표 하세요.

> 두 수의 합이 가장 큰 식을 만들 때 더해야 하는 두 수는
> 가장 큰 수와 (가장 작은 수 , 두 번째로 큰 수)입니다.

❷ 주어진 수의 크기를 비교하여 큰 수부터 차례대로 써 보세요.

$\boxed{} > \boxed{} > \boxed{} > \boxed{}$

❸ 두 수의 합이 가장 큰 식을 만들 때 더해야 하는 두 수를 써 보세요.

(,   )

❹ 두 수의 합이 가장 크게 되는 식을 만들고 계산해 보세요.

$\boxed{} + \boxed{} = \boxed{}$

2 두 수를 골라 합이 가장 크게 되는 식을 만들고 계산해 보세요.

196	563	227	834

☐ + ☐ = ☐

3 두 수를 골라 차가 가장 크게 되는 식을 만들고 계산해 보세요.

347	139	614	786

☐ - ☐ = ☐

4 수 카드 4장 중 3장을 골라 한 번씩만 사용하여 세 자리 수를 만들고 있습니다. 만들 수 있는 세 자리 수 중 두 수를 골라 차가 가장 크게 되는 식을 만들고 계산해 보세요.

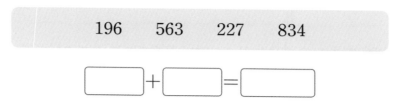

☐ - ☐ = ☐

1 수 카드 4장 중 3장을 골라 한 번씩만 사용하여 세 자리 수를 만들고 있습니다. 만들 수 있는 세 자리 수 중 두 번째로 큰 수와 세 번째로 작은 수의 차를 구해 보세요.

3 1 7 9

❶ 만들 수 있는 세 자리 수 중에서 가장 큰 수를 써 보세요.

(   )

❷ 만들 수 있는 세 자리 수 중에서 두 번째로 큰 수를 써 보세요.

(   )

❸ 만들 수 있는 세 자리 수 중에서 가장 작은 수를 써 보세요.

(   )

❹ 만들 수 있는 세 자리 수 중에서 두 번째로 작은 수를 써 보세요.

(   )

❺ 만들 수 있는 세 자리 수 중에서 세 번째로 작은 수를 써 보세요.

(   )

❻ ❷와 ❺에서 만든 두 수의 차를 구해 보세요.

(   )

2 주머니 안에 있는 구슬 5개 중 3개를 골라 한 번씩만 사용하여 세 자리 수를 만들고 있습니다. 만들 수 있는 세 자리 수 중 두 번째로 큰 수와 세 번째로 작은 수의 합을 구해 보세요.

(   )

3 수 카드 4장 중 3장을 골라 한 번씩만 사용하여 세 자리 수를 만들고 있습니다. 만들 수 있는 세 자리 수 중 세 번째로 큰 수와 두 번째로 작은 수의 차를 구해 보세요.

(   )

유형 6 바르게 계산한 값 구하기

1 어떤 수에서 247을 뺀 다음 320을 더해야 할 것을 잘못하여 247을 더한 다음 320을 뺐더니 615가 되었습니다. 바르게 계산한 값을 구해 보세요.

❶ 320을 빼기 전의 수를 구해 보세요.

(   )

❷ 247을 더하기 전의 수를 구해 보세요.

(   )

❸ 어떤 수는 얼마인지 구해 보세요.

(   )

❹ 바르게 계산한 값을 구해 보세요.

(   )

2 어떤 수에 217을 더한 다음 142를 빼야 할 것을 잘못하여 217을 뺀 다음 142를 더했더니 289가 되었습니다. 바르게 계산한 값을 구해 보세요.

(   )

1
단원

3 705에서 어떤 수를 한 번 빼야 할 것을 두 번 빼었더니 483이 되었습니다. 바르게 계산한 값을 구해 보세요.

(   )

4 469에 어떤 수를 한 번 더해야 할 것을 두 번 더했더니 913이 되었습니다. 바르게 계산한 값을 구해 보세요.

(   )

1 다음 수 중에서 가장 큰 수와 가장 작은 수의 합과 차를 각각 구해 보세요.

| 675 | 398 | 802 | 545 |

합 (   ), 차 (   )

2 고대 이집트에서 표현한 수를 보고 다음을 계산해 보세요.

고대 이집트 수

고대 이집트 숫자	ϑ	∩	Ι
나타내는 수	100	10	1

(1) ϑϑϑ∩∩∩∩ΙΙΙΙΙΙΙ + ϑϑ∩∩∩∩∩∩ΙΙΙΙ

(   )

(2) ϑϑϑϑϑ∩∩ΙΙΙΙΙΙ − ϑϑϑ∩∩∩∩ΙΙΙΙΙΙΙΙ

(   )

3 승기네 학교 남학생은 579명, 여학생은 403명입니다. 올해 114명이 전학을 갔다면 남은 학생은 몇 명인지 구해 보세요.

(   )

4 가장 큰 수와 가장 작은 수의 합에서 나머지 수를 뺀 값을 구해 보세요.

375	211	409

(   )

1 단원

5 진주는 어머니 생신 선물을 포장하려고 합니다. 선물을 포장하고 남은 리본은 몇 cm인지 구해 보세요.

리본 6 m 2 cm 중에서 345 cm를 사용했어.

(   )

6 ㉮ 상자에는 빨간색 구슬 357개와 파란색 구슬 326개가 들어 있고, ㉯ 상자에는 빨간색 구슬 389개와 파란색 구슬 272개가 들어 있습니다. 어느 상자에 구슬이 몇 개 더 많이 들어 있는지 차례로 써 보세요.

㉮ 빨간색 구슬 357개 / 파란색 구슬 326개

㉯ 빨간색 구슬 389개 / 파란색 구슬 272개

(   ), (   )

7 주머니 안에 있는 4개의 수 중에서 두 수를 골라 차가 가장 크게 되는 식을 만들고 계산해 보세요.

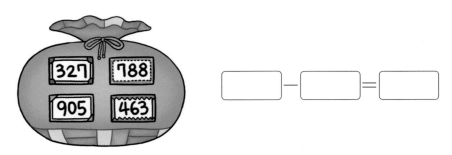

□ − □ = □

8 수 카드 4장 중 3장을 골라 한 번씩만 사용하여 세 자리 수를 만들고 있습니다. 만들 수 있는 세 자리 수 중 가장 큰 수와 가장 작은 수의 차를 구해 보세요.

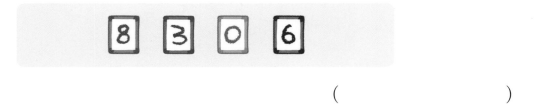

(   )

9 0부터 9까지의 수 중에서 □ 안에 들어갈 수 있는 수를 모두 써 보세요.

(1)

$$268 + 69\square < 964$$

(   )

(2)

$$763 - 2\square 5 < 518$$

(   )

10 두 장의 색 테이프를 겹쳐서 이어 붙였습니다. 겹쳐진 부분의 길이는 몇 cm인지 구해 보세요.

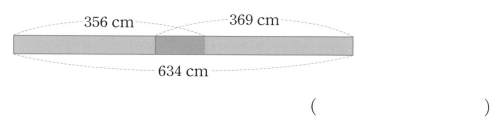

356 cm

369 cm

634 cm

(   )

11 어떤 수에 126을 더한 다음 349를 빼야 할 것을 잘못하여 126을 뺀 다음 349를 더했더니 915가 되었습니다. 바르게 계산한 값을 구해 보세요.

(   )

12 옳은 식이 되도록 수 카드 1장을 바꾸는 방법을 알아보세요.

$$2\ 5\ 7 + 3\ 6\ 4 = 6\ 0\ 1$$

방법1 계산 결과 601에서 수 카드 ▢을/를 ▢(으)로 바꿉니다.

방법2 더해지는 수 257에서 수 카드 ▢을/를 ▢(으)로 바꿉니다.

방법3 더하는 수 364에서 수 카드 ▢을/를 ▢(으)로 바꿉니다.

13 다음 식에서 ♥가 나타내는 수를 구해 보세요.

$$680 - ♥ - ♥ = 434$$

(   )

14 ㉮, ㉯ 두 삼각형의 세 변의 길이의 합이 같습니다. ㉯ 삼각형의 나머지 한 변의 길이는 몇 cm인지 구해 보세요.

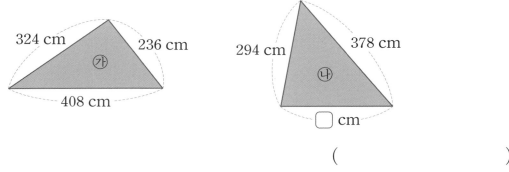

324 cm 236 cm
㉮
408 cm

294 cm 378 cm
㉯
☐ cm

(   )

15 세계의 높은 건물을 조사했습니다. 높이의 차가 200 m에 가장 가까운 두 건물을 찾아 써 보세요.

건물 이름	타이페이 101	상하이 타워	홍콩 국제 상업 센터	버즈 칼리파
높이(m)	508	632	484	828

(,   )

② 평면도형

❁ 선분, 반직선, 직선 알아보기

- 선분: 두 점을 곧게 이은 선

  ┌───┐ ➡ 선분 ㄱㄴ 또는
  선분 ㄴㄱ

- 반직선: 한 점에서 시작하여 한쪽으로 끝없이 늘인 곧은 선

  ┌─────┐ ➡ 반직선 ㄱㄴ
  ┌─────┐ ➡ 반직선 ㄴㄱ

- 직선: 선분을 양쪽으로 끝없이 늘인 곧은 선

  ───●───●─── ➡ 직선 ㄱㄴ 또는
  직선 ㄴㄱ

❁ 각 알아보기

- 각: 한 점에서 그은 두 반직선으로 이루어진 도형

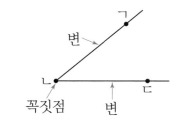

변

꼭짓점   변

➡ 각 ㄱㄴㄷ 또는 각 ㄷㄴㄱ

❁ 직각 알아보기

- 직각: 종이를 반듯하게 두 번 접었을 때 생기는 각

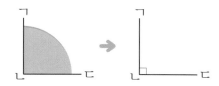

❁ 직각삼각형 알아보기

- 직각삼각형: 한 각이 직각인 삼각형

❁ 직사각형과 정사각형 알아보기

- 직사각형: 네 각이 모두 직각인 사각형

- 정사각형: 네 각이 모두 직각이고 네 변의 길이가 모두 같은 사각형

1 그림에서 직선은 모두 몇 개인지 구해 보세요.

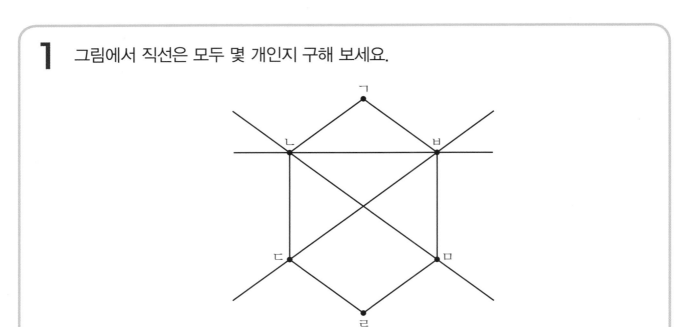

❶ ☐ 안에 알맞은 말을 써넣으세요.

> 직선은 선분을 양쪽으로 끝없이 늘인 ☐ 입니다.

❷ 그림에서 직선을 모두 찾아 써 보세요.

(   )

❸ 직선은 모두 몇 개인지 써 보세요.

(   )

[2~5] 주어진 점을 이용하여 직선을 모두 그어 보고, 몇 개의 직선을 그을 수 있는지 써 보세요.

2
단원

2

직선의 개수

➡ (   )

3

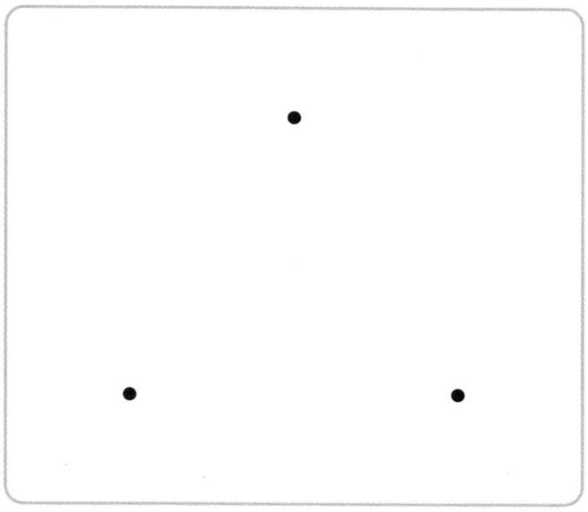

직선의 개수

➡ (   )

4

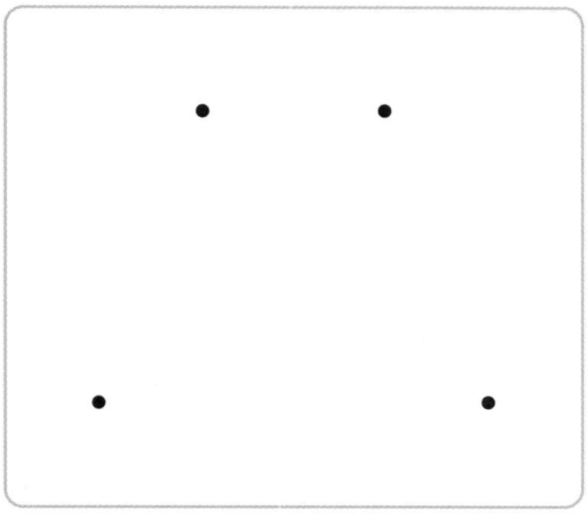

직선의 개수

➡ (   )

5

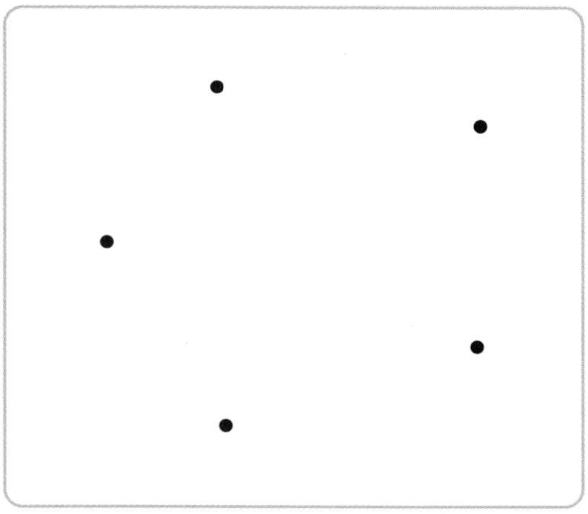

직선의 개수

➡ (   )

유형 ② 직각의 개수

1 다음 글자에서 찾을 수 있는 직각은 모두 몇 개인지 구해 보세요.

❶ '봄'에서 찾을 수 있는 직각은 몇 개인지 구해 보세요.

( )

❷ '날'에서 찾을 수 있는 직각은 몇 개인지 구해 보세요.

( )

❸ 직각은 모두 몇 개인지 구해 보세요.

( )

2 다음 글자에서 찾을 수 있는 직각은 모두 몇 개인지 구해 보세요.

(   )

3 ㉠과 ㉡의 글자에서 찾을 수 있는 직각의 개수의 차는 몇 개인지 구해 보세요.

㉠

㉡
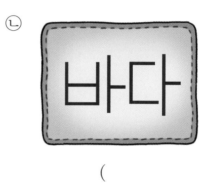

(   )

4 찾을 수 있는 직각의 개수가 <u>다른</u> 한 글자는 무엇인지 써 보세요.

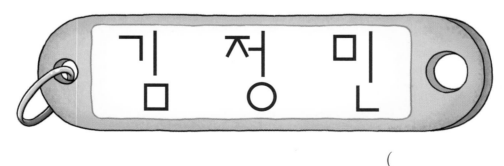

(   )

유형 3 직각삼각형과 직사각형

1 네 각이 모두 직각인 사각형 모양 종이를 선을 따라 잘랐습니다. 잘랐을 때 생긴 직각삼각형과 직사각형의 수의 차를 구해 보세요.

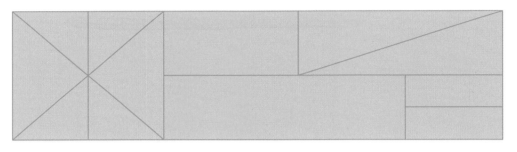

❶ 직각삼각형을 모두 찾아 ○표 하고, 몇 개인지 써 보세요.

( )

❷ 직사각형을 모두 찾아 △표 하고, 몇 개인지 써 보세요.

( )

❸ 직각삼각형과 직사각형 수의 차는 몇 개인지 구해 보세요.

( )

[2~5] 정사각형 모양의 종이에 선을 3번 그어 주어진 수만큼 직각삼각형과 직사각형을 만들어 보세요.

2

직각삼각형	직사각형
4개	0개

3

직각삼각형	직사각형
4개	0개

4

직각삼각형	직사각형
2개	2개

5

직각삼각형	직사각형
2개	2개

1 크기가 같은 정사각형 모양 우리 2개를 붙여 큰 직사각형 모양 우리를 만들었습니다. 큰 우리의 네 변의 길이의 합은 몇 m인지 구해 보세요.

15 m

☐ m   ☐ m

❶ ☐ 안에 알맞은 말을 써넣으세요.

정사각형은 ☐ 변의 길이가 같습니다.

❷ ☐ 안에 알맞은 수를 써넣으세요.

❸ 큰 우리의 네 변의 길이의 합은 몇 m인지 구해 보세요.

(   )

2 크기가 같은 정사각형 3개를 겹치지 않게 이어 붙여 만든 직사각형입니다. 만든 직사각형의 네 변의 길이의 합은 몇 cm인지 구해 보세요.

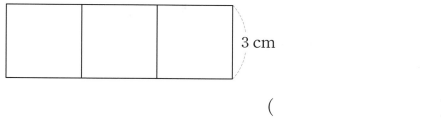

(   )

3 크기가 같은 정사각형 2개를 겹치지 않게 이어 붙여 만든 직사각형입니다. 만든 직사각형의 네 변의 길이의 합은 몇 cm인지 구해 보세요.

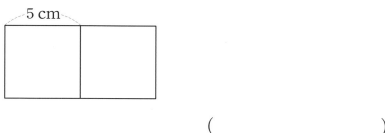

(   )

4 크기가 같은 정사각형 4개를 겹치지 않게 이어 붙여 큰 정사각형을 만들었습니다. 이 정사각형의 네 변의 길이의 합은 몇 cm인지 구해 보세요.

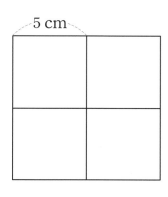

(   )

유형 ⑤ 정사각형의 활용

1 그림에서 색칠한 두 사각형은 정사각형입니다. ㉠의 길이는 몇 cm인지 구해 보세요.

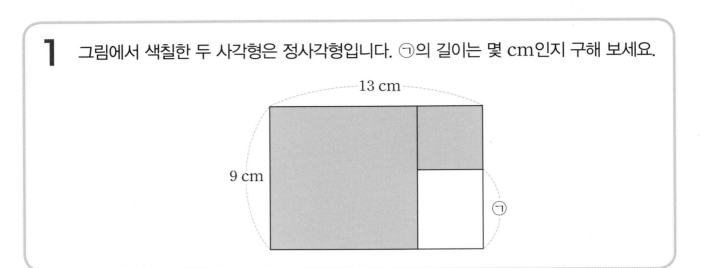

❶ 큰 정사각형의 한 변의 길이는 몇 cm일까요?

(   )

❷ 작은 정사각형의 한 변의 길이는 몇 cm일까요?

(   )

❸ ㉠의 길이는 몇 cm일까요?

(   )

2 그림에서 색칠한 두 사각형은 정사각형입니다. ㉠의 길이는 몇 cm인지 구해 보세요.

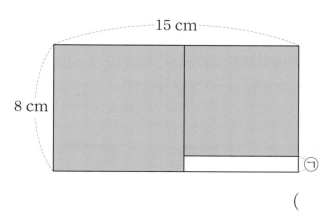

(   )

3 그림에서 색칠한 두 사각형은 정사각형입니다. ㉠의 길이는 몇 cm인지 구해 보세요.

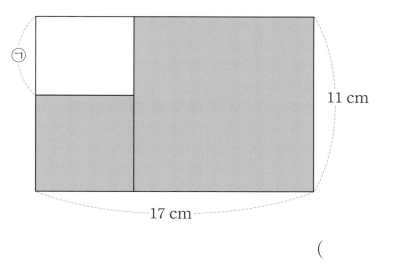

(   )

1 펜토미노는 정사각형 5개를 이어 붙인 도형으로 모양을 만드는 퍼즐입니다. 아래 그림에 U자 모양 펜토미노에서 찾을 수 있는 크고 작은 직사각형은 모두 몇 개인지 구해 보세요.

❶ 정사각형 1개로 이루어진 직사각형은 몇 개일까요?

( )

❷ 정사각형 2개로 이루어진 직사각형은 몇 개일까요?

( )

❸ 정사각형 3개로 이루어진 직사각형은 몇 개일까요?

( )

❹ 찾을 수 있는 크고 작은 직사각형은 모두 몇 개일까요?

( )

2 도형에서 찾을 수 있는 크고 작은 정사각형은 모두 몇 개인지 구해 보세요.

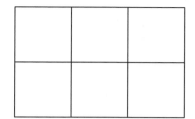

(1) 작은 정사각형 1개로 이루어진 정사각형은 몇 개일까요?

(   )

(2) 작은 정사각형 4개로 이루어진 정사각형은 몇 개일까요?

(   )

(3) 찾을 수 있는 크고 작은 정사각형은 모두 몇 개일까요?

(   )

3 도형에서 찾을 수 있는 크고 작은 직사각형은 모두 몇 개인지 구해 보세요.

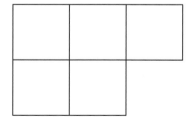

(   )

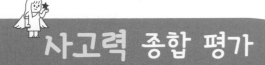
1 점 ㄱ과 이어서 그릴 수 있는 선분은 모두 몇 개인지 구해 보세요.

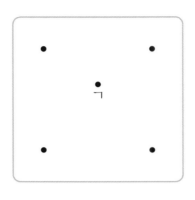

(   )

2 그림에서 직각삼각형을 모두 찾아 색칠해 보세요.

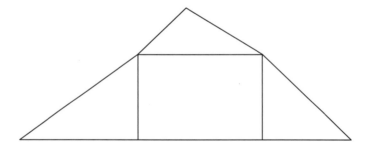

3 4개의 점 중에서 점 2개를 이어 그을 수 있는 선분은 모두 몇 개인지 구해 보세요.

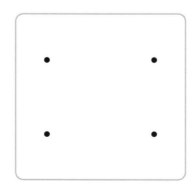

(   )

4 어느 마을의 약도입니다. 약도에 나타난 길에서 찾을 수 있는 직각은 모두 몇 개인지 써 보세요.

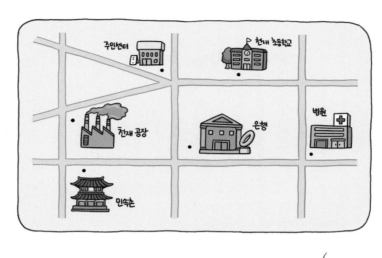

(   )

5 각이 많은 도형부터 순서대로 기호를 써 보세요.

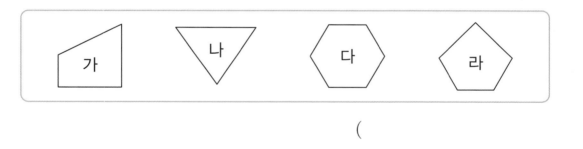

(   )

6 도형에서 찾을 수 있는 크고 작은 각은 모두 몇 개인지 구해 보세요.

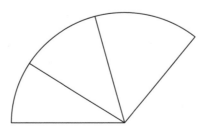

(   )

7 점 ㄴ을 꼭짓점으로 하는 직각을 그리려면 점 ㄴ과 어느 점을 이어야 하는지 번호를 써 보세요.

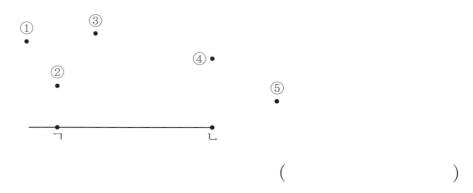

(   )

8 직사각형 모양의 종이를 점선을 따라 자르면 직사각형과 직각삼각형의 수의 차는 몇 개 인지 구해 보세요.

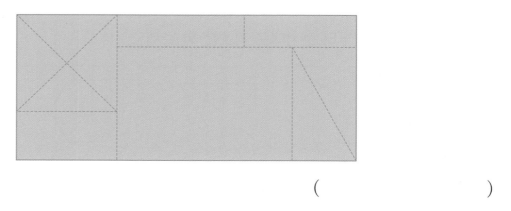

(   )

9 보기 는 각의 개수를 이용하여 467을 나타낸 것입니다. 오른쪽 그림은 어떤 수를 나타낸 것인지 써 보세요.

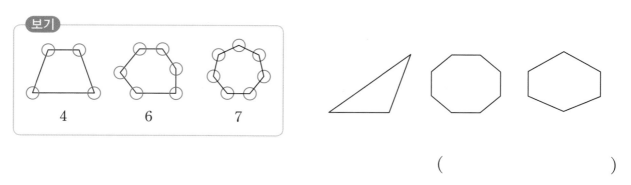

(   )

10 길이가 30 cm인 철사를 겹치지 않게 사용하여 다음과 같은 정사각형 1개를 만들었습니다. 남은 철사의 길이는 몇 cm인지 구해 보세요.

5 cm

(   )

11 도형에서 찾을 수 있는 크고 작은 직사각형은 모두 몇 개인지 구해 보세요.

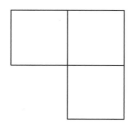

(   )

12 도형에서 찾을 수 있는 크고 작은 정사각형은 모두 몇 개인지 구해 보세요.

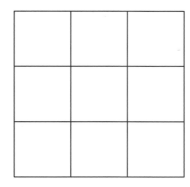

(   )

13 크기가 같은 정사각형 3개를 겹치지 않게 이어 붙여 만든 직사각형입니다. 만든 직사각형의 네 변의 길이의 합은 몇 cm인지 구해 보세요.

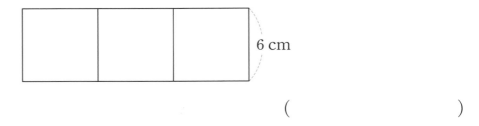

(   )

14 크기가 다른 두 정사각형을 겹치지 않게 이어 붙여서 만든 도형입니다. ㉠의 길이는 몇 cm인지 구해 보세요.

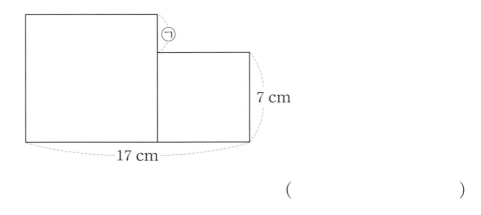

(   )

15 윤기는 검은색 바둑돌을, 석진이는 흰색 바둑돌을 놓았습니다. 각 바둑돌과 빨간색 선분의 양 끝을 연결하여 직각삼각형을 더 많이 만들 수 있는 사람이 이긴다고 할 때, 누가 이기게 되는지 써 보세요.

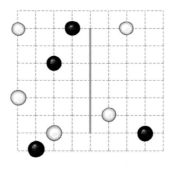

(   )

③ 나눗셈

✿ 똑같이 나누기 (1)

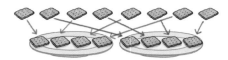

과자 8개를 접시 2개에 똑같이 나누면 한 접시에 4개씩 놓이게 됩니다.

나눗셈식 $8 \div 2 = 4$

     ↑ 나누어지는 수
     나누는 수   8을 2로 나눈 몫

읽기 8 나누기 2는 4와 같습니다.

✿ 똑같이 나누기 (2)

사탕 10개를 한 명에게 2개씩 주면 5명에게 나누어 줄 수 있습니다.

뺄셈식 $10 - 2 - 2 - 2 - 2 - 2 = 0$

            5번   → 10에서 2를 5번 빼면 0이 됩니다.

나눗셈식 $10 \div 2 = 5$

      뺀 수   뺀 횟수

✿ 곱셈과 나눗셈의 관계

| $4 \times 5 = 20$ | → | $20 \div 4 = 5$ |
| $5 \times 4 = 20$ | ← | $20 \div 5 = 4$ |

✿ 나눗셈의 몫을 곱셈식으로 구하기

- 나눗셈 $24 \div 6$의 몫을 곱셈식으로 구하는 방법

$24 \div 6 = \square$의 몫 $\square$는 $6 \times 4 = 24$를 이용해 구할 수 있습니다.

$$6 \times 4 = 24$$

$$24 \div 6 = \square$$

➡ $24 \div 6$의 몫은 4입니다.

✿ 나눗셈의 몫을 곱셈구구로 구하기

- 나눗셈 $48 \div 8$의 몫을 곱셈구구로 구하는 방법

×	1	2	3	4	5	6	7	8	9
8	8	16	24	32	40	㊽	56	64	72

① 8의 단 곱셈구구에서 곱이 48인 곱셈식을 찾습니다.

➡ $8 \times 6 = 48$

② ①에서 찾은 곱셈식을 보고 나눗셈의 몫을 구합니다.

$$8 \times 6 = 48 \implies 48 \div 8 = 6$$

1 로봇 청소기가 42÷7과 몫이 같은 나눗셈이 있는 방만 청소하려고 합니다. 청소할 방을 찾아 선으로 이어 보세요.

❶ 42÷7의 몫은 얼마일까요?

(   )

❷ 42÷7과 몫이 같은 나눗셈이 있는 방을 찾아 선으로 이어 보세요.

2 민형이는 가지고 있는 나눗셈의 몫보다 몫이 작은 나눗셈이 있는 길을 지나 초아를 만나려고 합니다. 민형이가 지나가야 할 길을 찾아 선으로 이어 보세요.

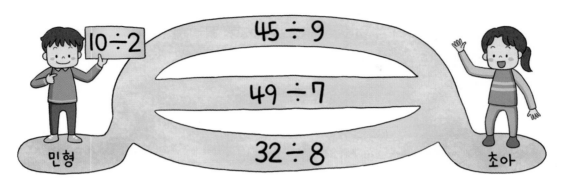

3 나눗셈의 몫이 1씩 커지는 곳을 선으로 이어 보면서 미로를 탈출해 보세요.

1 다음은 몫이 한 자리 수인 (두 자리 수)÷(한 자리 수)입니다. ■가 될 수 있는 수를 모두 구해 보세요.

$$4■÷7$$

❶ 4■÷7의 몫을 곱셈구구로 구하려면 몇의 단 곱셈구구를 이용해야 할까요?

(   ) 곱셈구구

❷ 7의 단 곱셈구구에서 곱의 십의 자리 숫자가 4인 곱셈식을 모두 찾아 써 보세요.

×	1	2	3	4	5	6	7	8	9
7	7	14	21	28	35	42	49	56	63

$$7 \times \boxed{} = 4\boxed{}, \quad 7 \times \boxed{} = 4\boxed{}$$

❸ ■가 될 수 있는 수를 모두 써 보세요.

(   )

2 다음은 몫이 한 자리 수인 (두 자리 수)÷(한 자리 수)입니다. ♥가 될 수 있는 수를 모두 구해 보세요.

(1)
$$1\,\heartsuit \div 3$$

(   )

(2)
$$3\,\heartsuit \div 8$$

(   )

(3)
$$1\,\heartsuit \div 6$$

(   )

3
단원

3 다음은 몫이 한 자리 수인 (두 자리 수)÷(한 자리 수)입니다. 나눗셈의 몫이 될 수 있는 수를 모두 구해 보세요.

(1)
$$2\,\bullet \div 4$$

(   )

(2)
$$3\,\bullet \div 5$$

(   )

(3)
$$2\,\bullet \div 7$$

(   )

나눗셈식 만들기

문제 해결

1 수 카드 5장 중에서 4장을 골라 모두 한 번씩만 사용하여 다음과 같이 몫이 한 자리 수인 나눗셈식을 만들려고 합니다. 만들 수 있는 나눗셈식은 모두 몇 개인지 구해 보세요.

$$\boxed{2} \quad \boxed{3} \quad \boxed{4} \quad \boxed{6} \quad \boxed{8}$$

→ $\boxed{}\boxed{} \div \boxed{} = \boxed{}$

❶ 위의 수 카드를 한 번씩만 사용하여 만들 수 있는 두 자리 수를 모두 써 보세요.

_____

_____

❷ ❶에서 만든 두 자리 수를 나누어지는 수로 하여 만들 수 있는 나눗셈식을 모두 써 보세요. (단, 나누는 수와 몫은 나머지 수 카드를 사용합니다.)

_____

_____

❸ 만들 수 있는 나눗셈식은 모두 몇 개일까요?

(   )

2 수 카드 5장 중에서 4장을 골라 모두 한 번씩만 사용하여 다음과 같이 몫이 한 자리 수인 나눗셈식을 만들려고 합니다. 만들 수 있는 나눗셈식은 모두 몇 개인지 구해 보세요.

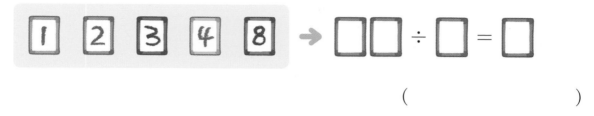

(   )

3 수 카드 4장 중에서 3장을 골라 모두 한 번씩만 사용하여 다음과 같이 나눗셈을 만들었습니다. 이때 몫이 가장 큰 한 자리 수인 나눗셈의 계산 결과를 구해 보세요.

(   )

1 대화를 읽고 문제를 해결해 보세요.

① 윤후와 은성이가 구하려는 것을 써 보세요.

	윤후	은성
구하려는 것		

② 문제 해결 방법을 써 보세요.

	윤후	은성
문제 해결 방법		

③ 몫은 각각 얼마일까요? 또, 몫이 나타내는 것은 무엇인지 써 보세요.

	몫	몫이 나타내는 것
윤후		
은성		

2 친구들에게 젤리 30개를 똑같이 나누어 주려고 합니다. 어떻게 나누어 주어야 할지 빈칸에 알맞게 써 보세요.

	한 명에게 6개씩 줄 때	6명에게 똑같이 나누어 줄 때
구하려는 것		
나눗셈식		
몫		
몫이 나타내는 것		

3 친구들에게 아이스크림 36개를 똑같이 나누어 주려고 합니다. 어떻게 나누어 주어야 할지 빈칸에 알맞게 써 보세요.

	한 명에게 9개씩 줄 때	9명에게 똑같이 나누어 줄 때
구하려는 것		
나눗셈식		
몫		
몫이 나타내는 것		

유형 ⑤ 바르게 계산한 값 구하기

추론

1 두 친구의 대화를 읽고 바르게 계산한 값을 구해 보세요.

❶ 어떤 수를 ▢라 하고 잘못 계산한 식을 세워 보세요.

식

❷ 어떤 수를 구해 보세요.

( )

❸ 바르게 계산한 값을 구해 보세요.

( )

2 어떤 수를 6으로 나누어야 할 것을 잘못하여 9로 나누었더니 몫이 4가 되었습니다. 바르게 계산한 값을 구해 보세요.

(   )

3 어떤 수에 5를 더해야 할 것을 잘못하여 5로 나누었더니 몫이 7이 되었습니다. 바르게 계산한 값을 구해 보세요.

(   )

4 어떤 수에서 7을 빼야 할 것을 잘못하여 7로 나누었더니 몫이 9가 되었습니다. 바르게 계산한 값을 구해 보세요.

(   )

1 다음 두 식을 만족하는 ■와 ▲의 차를 구해 보세요.

$$■ ÷ ▲ = 5$$
$$■ + ▲ = 30$$

❶ ■ ÷ ▲ = 5에서 나누는 수 ▲가 다음과 같을 때 나누어지는 수 ■를 구해 보세요.

▲	1	2	3	4	5	6	7	8	9	......
■	5	10	15							......

❷ ❶의 표를 보고 ■ + ▲ = 30이 되는 경우 ■와 ▲를 각각 알아보세요.

■ (   ), ▲ (   )

❸ ❷에서 찾은 ■와 ▲의 차를 구해 보세요.

(   )

2 두 수가 있습니다. 큰 수를 작은 수로 나누면 몫이 4이고, 두 수의 합은 20입니다. 이 두 수를 구해 보세요.

(,   )

3 다음 두 식을 만족하는 ■와 ●를 각각 구해 보세요.

$$■ \div ● = 3$$
$$■ - ● = 12$$

■ (   ), ● (   )

4 두 수가 있습니다. 큰 수를 작은 수로 나누면 몫이 6이고, 두 수의 차는 20입니다. 이 두 수의 합을 구해 보세요.

(   )

1 □ 안에 알맞은 수를 구해 보세요.

(1)
$$35 \div \square = 5$$

(   )

(2)
$$42 \div \square = 7$$

(   )

2 다음은 몫이 한 자리 수인 (두 자리 수)÷(한 자리 수)입니다. 나눗셈의 몫이 될 수 있는 수를 모두 구해 보세요.

(1)
$$3\blacksquare \div 4$$

(   )

(2)
$$2\blacksquare \div 3$$

(   )

3 어떤 수를 4로 나누어야 할 것을 잘못하여 8로 나누었더니 몫이 3이 되었습니다. 바르게 계산한 값을 구해 보세요.

(   )

4 친구들에게 물고기 48마리를 똑같이 나누어 주려고 합니다. 물음에 답하세요.

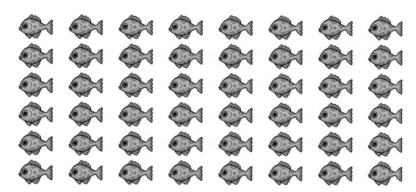

(1) 한 명에게 물고기를 8마리씩 주면 몇 명에게 나누어 줄 수 있는지 나눗셈식을 쓰고 답을 구해 보세요.

식 _____

답 _____

(2) 8명에게 똑같이 나누어 주면 한 명에게 줄 수 있는 물고기는 몇 마리인지 나눗셈식을 쓰고 답을 구해 보세요.

식 _____

답 _____

5 다음 두 식을 만족하는 ♥와 ★을 각각 구해 보세요.

$$♥ ÷ ★ = 8$$
$$♥ - ★ = 42$$

♥ (   ), ★ (   )

6 나눗셈의 몫이 1씩 커지는 길을 따라가 보세요.

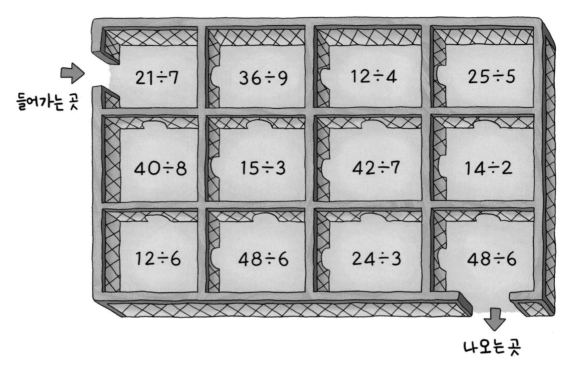

들어가는 곳

21÷7	36÷9	12÷4	25÷5
40÷8	15÷3	42÷7	14÷2
12÷6	48÷6	24÷3	48÷6

나오는 곳

[7~8] 주어진 세 수를 이용하여 곱셈식과 나눗셈식을 각각 2개씩 만들어 보세요.

7

32	
4	8

☐ × ☐ = ☐

☐ × ☐ = ☐

☐ ÷ ☐ = ☐

☐ ÷ ☐ = ☐

8

42	
6	7

☐ × ☐ = ☐

☐ × ☐ = ☐

☐ ÷ ☐ = ☐

☐ ÷ ☐ = ☐

9 □ 안에 알맞은 수를 써넣고, 가로세로 숫자 퍼즐을 완성해 보세요.

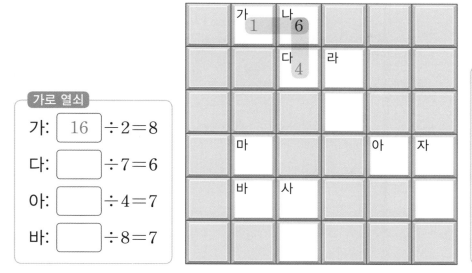

가로 열쇠

가: $\boxed{16} \div 2 = 8$

다: $\boxed{} \div 7 = 6$

아: $\boxed{} \div 4 = 7$

바: $\boxed{} \div 8 = 7$

세로 열쇠

나: $\boxed{64} \div 8 = 8$

라: $\boxed{} \div 3 = 9$

마: $\boxed{} \div 5 = 9$

샤: $\boxed{} \div 9 = 7$

자: $\boxed{} \div 9 = 9$

3
단원

10 아버지의 유언을 보고 말이 모두 24마리일 때 숲에 풀어 주어야 할 말은 몇 마리인지 구해 보세요.

(   )

11 다음에서 같은 모양은 같은 수를 나타냅니다. ■에 알맞은 수를 구해 보세요.

$$40 - \blacktriangle - \blacktriangle - \blacktriangle - \blacktriangle - \blacktriangle = 0$$
$$\blacktriangle \div 2 = \blacksquare$$

(   )

12 수 카드 4장 중에서 3장을 골라 모두 한 번씩만 사용하여 다음과 같이 나눗셈을 만들었습니다. 이때 몫이 가장 작은 한 자리 수인 나눗셈의 계산 결과를 구해 보세요.

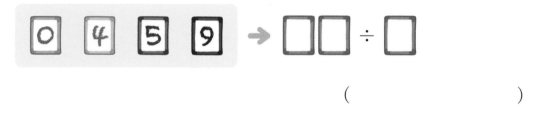

(   )

13 두 수가 있습니다. 큰 수를 작은 수로 나누면 몫이 7이고, 두 수의 합은 16입니다. 이 두 수의 차를 구해 보세요.

(   )

4 곱셈

✿ (몇십)×(몇) 계산하기

0은 그대로
$$20 \times 3 = 60$$
$2 \times 3 = 6$

$$\begin{array}{r} 2\ 0 \\ \times \quad 3 \\ \hline 6\ 0 \end{array}$$ 0은 그대로

✿ 올림이 없는 (몇십몇)×(몇) 계산하기

$2 \times 3 = 6$
$$12 \times 3 = 36$$
$1 \times 3 = 3$

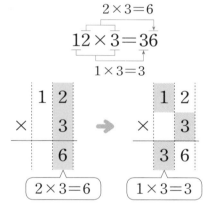

$2 \times 3 = 6$ $1 \times 3 = 3$

✿ 십의 자리에서 올림이 있는 (몇십몇)×(몇) 계산하기

$3 \times 2 = 6$
$$63 \times 2 = 126$$
$6 \times 2 = 12$

$3 \times 2 = 6$ $6 \times 2 = 12$

✿ 일의 자리에서 올림이 있는 (몇십몇)×(몇) 계산하기

$6 \times 3 = 18$
$$26 \times 3 = 78$$
$2 \times 3 = 6,\ 6 + 1 = 7$

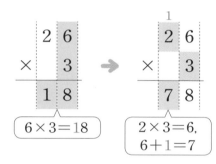

$6 \times 3 = 18$ $2 \times 3 = 6,$ $6 + 1 = 7$

✿ 십의 자리와 일의 자리에서 올림이 있는 (몇십몇)×(몇) 계산하기

$4 \times 4 = 16$
$$34 \times 4 = 136$$
$3 \times 4 = 12,\ 12 + 1 = 13$

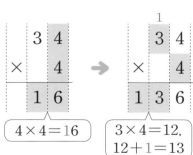

$4 \times 4 = 16$ $3 \times 4 = 12,$ $12 + 1 = 13$

반복되는 곱셈

추론

---

1 다음을 보고 3을 26번 곱했을 때 곱의 일의 자리 숫자를 구해 보세요.

> 3
>
> $3 \times 3 =$ ☐ ── 3을 2번 곱함.
>
> $3 \times 3 \times 3 =$ ☐ ── 3을 3번 곱함.
>
> $3 \times 3 \times 3 \times 3 =$ ☐ ── 3을 4번 곱함.
>
> $3 \times 3 \times 3 \times 3 \times 3 =$ ☐ ── 3을 5번 곱함.

❶ ☐ 안에 알맞은 수를 써넣으세요.

❷ 3의 곱의 일의 자리 숫자의 규칙을 찾아보세요.

일의 자리 숫자 3, ☐, ☐, ☐이/가 반복되는 규칙이 있습니다.

❸ ☐ 안에 알맞은 수를 써넣으세요.

26은 4×6에 ☐를 더한 수이므로 3을 26번 곱했을 때 곱의 일의 자리 숫자는

3을 ☐번 곱했을 때 곱의 일의 자리 숫자와 같습니다.

❹ 3을 26번 곱했을 때 곱의 일의 자리 숫자는 무엇일까요?

(   )

2 ☐ 안에 알맞은 수를 써넣고 7을 35번 곱했을 때 곱의 일의 자리 숫자를 구해 보세요.

$$7$$
$$7 \times 7 = 49$$
$$7 \times 7 \times 7 = \boxed{}$$
$$7 \times 7 \times 7 \times 7 = 2401$$
$$7 \times 7 \times 7 \times 7 \times 7 = 16807$$

(   )

3 ☐ 안에 알맞은 수를 써넣고 9를 15번 곱했을 때 곱의 일의 자리 숫자를 구해 보세요.

$$9$$
$$9 \times 9 = \boxed{}$$
$$9 \times 9 \times 9 = \boxed{}$$
$$9 \times 9 \times 9 \times 9 = 6561$$

(   )

걸리는 시간 구하기

1 굵기가 일정한 통나무를 9도막으로 자르려고 합니다. 한 번 자르는 데 15분이 걸리고 한 번 자른 후에는 2분씩 쉰 다음 다시 자릅니다. 이 통나무를 모두 자르는 데 걸리는 시간은 몇 분인지 구해 보세요.

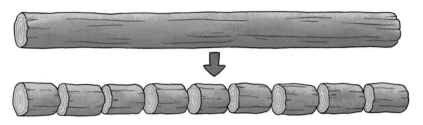

❶ 통나무를 몇 번 잘라야 할까요?

( )

❷ 통나무를 자르기만 하는 데 걸리는 시간은 모두 몇 분일까요?

( )

❸ 통나무를 9도막으로 자르는 데 쉬는 시간은 모두 몇 분일까요?

( )

❹ 통나무를 9도막으로 자르는 데 걸리는 시간은 모두 몇 분일까요?

( )

2 길이가 72 m인 산책길의 양쪽에 처음부터 끝까지 4 m 간격으로 꽃을 심으려고 합니다. 꽃 한 송이를 심는 데 3분이 걸린다면 꽃을 모두 심는 데 걸리는 시간은 몇 분인지 구해 보세요.

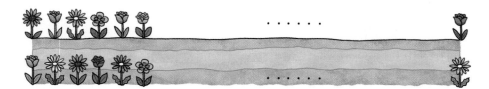

(1) 산책길의 한쪽에 심을 꽃은 몇 송이일까요?

(   )

(2) 산책길의 양쪽에 심을 꽃은 몇 송이일까요?

(   )

(3) 산책길의 양쪽에 꽃을 모두 심는 데 걸리는 시간은 몇 분일까요?

(   )

4
단원

3 굵기가 일정한 통나무를 6도막으로 자르려고 합니다. 한 번 자르는 데 13분이 걸리고 한 번 자른 후에는 3분씩 쉰 다음 다시 자릅니다. 통나무를 모두 자르는 데 걸리는 시간은 몇 분인지 구해 보세요.

(   )

수 카드로 곱셈식 만들기

1 **보기**의 수 카드를 한 번씩만 사용하여 오른쪽 식을 만족하도록 완성해 보세요.

보기

2 5 6

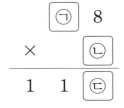

```
    ㉠ 8
  ×   ㉡
  ─────────
  1 1 ㉢
```

❶ ㉢에 알맞은 숫자를 구해 보세요.

(   )

❷ ㉠과 ㉡에 알맞은 숫자를 구해 보세요.

㉠ (   ), ㉡ (   )

❸ 곱셈식을 완성해 보세요.

```
    □ 8
  ×   □
  ─────────
  1 1 □
```

2 보기의 수 카드를 한 번씩만 사용하여 오른쪽 식을 만족하도록 ☐ 안에 알맞은 숫자를 써넣으세요.

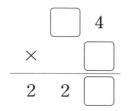

3 보기의 수 카드를 한 번씩만 사용하여 오른쪽 식을 만족하도록 ☐ 안에 알맞은 숫자를 써넣으세요.

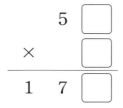

유형 ④ 전체 길이 구하기

문제 해결

1 한 장의 길이가 76 cm인 색 테이프 7장을 그림과 같이 11 cm씩 겹쳐 이어 붙였습니다. 이어 붙인 색 테이프의 전체 길이는 몇 cm인지 구해 보세요.

❶ 색 테이프 7장의 길이는 모두 몇 cm일까요?

(   )

❷ 겹쳐진 부분은 모두 몇 군데일까요?

(   )

❸ 겹쳐진 부분의 길이는 모두 몇 cm일까요?

(   )

❹ 이어 붙인 색 테이프의 전체 길이는 몇 cm인지 구해 보세요.

(   )

2 한 장의 길이가 20 cm인 색 테이프 8장을 6 cm씩 겹쳐 이어 붙였습니다. 이어 붙인 색 테이프의 전체 길이는 몇 cm인지 구해 보세요.

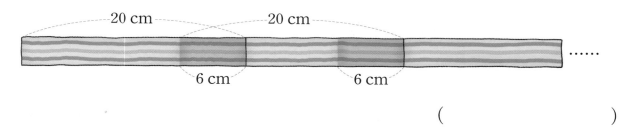

(   )

3 한 장의 길이가 85 cm인 색 테이프 3장을 13 cm씩 겹쳐 이어 붙였습니다. 이어 붙인 색 테이프의 전체 길이는 몇 cm인지 구해 보세요.

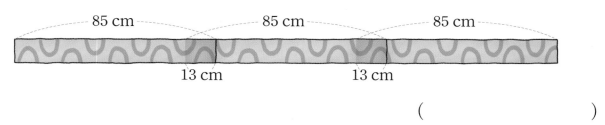

(   )

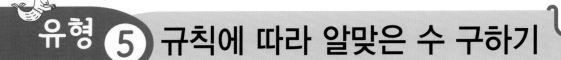

유형 5 규칙에 따라 알맞은 수 구하기

창의·융합

1 보기와 같은 규칙으로 빈 곳에 알맞은 수를 써넣으세요.

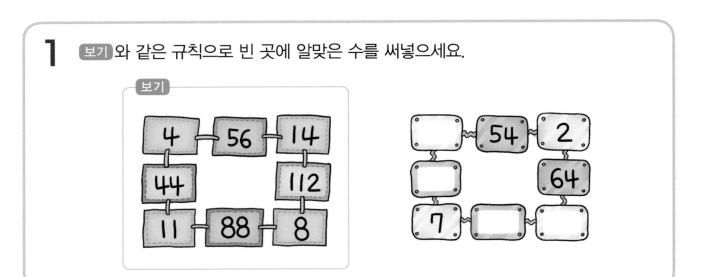

① 규칙을 알아보고 ☐ 안에 알맞은 말을 써넣으세요.

가로줄과 세로줄의 가운데 칸에 있는 수는 양쪽 끝에 있는 두 수의 ☐ 입니다.

② 빈 곳에 알맞은 수를 써넣으세요.

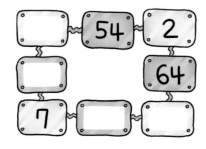

2 보기 와 같은 규칙으로 빈 곳에 알맞은 수를 써넣으세요.

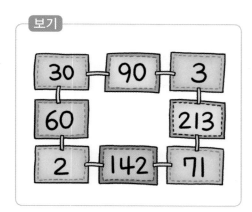

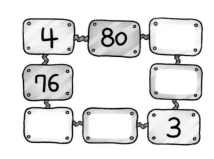

3 보기 와 같은 규칙으로 빈 곳에 알맞은 수를 써넣으세요.

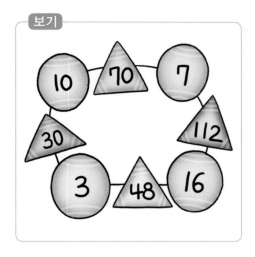

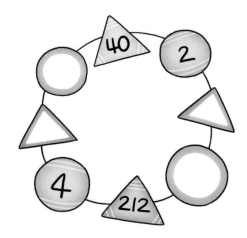

1 혜미는 모양 조각을 사용하여 가방의 한 쪽 면을 다음과 같은 무늬로 꾸몄습니다. 가방 3개를 꾸미는 데 필요한 모양 조각은 모두 몇 개인지 구해 보세요.

❶ 혜미가 사용한 모양 조각에 모두 ○표 하세요.

❷ 가방 1개를 꾸미는 데 사용한 모양 조각은 모두 몇 개일까요?

( )

❸ 가방 3개를 꾸미는 데 필요한 모양 조각은 모두 몇 개일까요?

( )

2 윤주가 2가지의 모양 조각을 사용하여 만든 무늬입니다. 이 무늬를 5개 만들었다면 사용한 모양 조각은 모두 몇 개인지 구해 보세요.

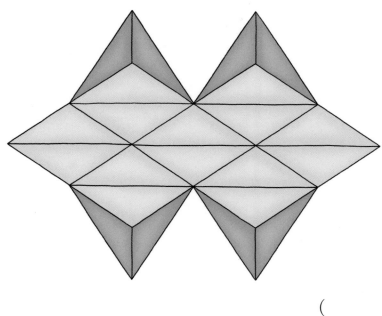

(   )

3 현지는 모양 조각을 사용하여 다음과 같이 팔찌를 만들었습니다. 이 팔찌를 8개 만들었다면 사용한 모양 조각은 모두 몇 개인지 구해 보세요.

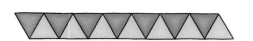

(   )

1 보미는 다음 3가지 모양 조각을 각각 42개씩 사용하여 무늬를 만들었습니다. 사용한 모양 조각은 모두 몇 개인지 구해 보세요.

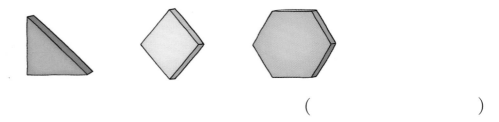

(   )

2 보기 를 보고 4를 40번 곱했을 때 곱의 일의 자리 숫자는 무엇인지 구해 보세요.

> 보기
>
> $$4$$
> $$4 \times 4 = 16$$
> $$4 \times 4 \times 4 = 64$$
> $$4 \times 4 \times 4 \times 4 = 256$$

(   )

3 다음 그림과 같은 벽시계가 있습니다. 4월 1일 오전 8시부터 4월 10일 오전 8시까지 시계의 긴바늘은 몇 바퀴 도는지 구해 보세요.

(   )

4 농장에 오리 67마리와 돼지 34마리가 있습니다. 농장에 있는 동물의 다리는 모두 몇 개인지 구해 보세요.

(   )

5 보기 의 ☐ 안에 알맞은 수를 써넣고, 2를 29번 곱했을 때 곱의 일의 자리 숫자는 무엇인지 구해 보세요.

> **보기**
>
> 2
> $2 \times 2 = 4$
> $2 \times 2 \times 2 = 8$
> $2 \times 2 \times 2 \times 2 = \boxed{}$
> $2 \times 2 \times 2 \times 2 \times 2 = \boxed{}$

(   )

6 어떤 수에 7을 곱해야 할 것을 잘못하여 7을 더했더니 82가 되었습니다. 바르게 계산한 값을 구해 보세요.

(   )

7 굵기가 일정한 통나무를 한 번 자르는 데 16분이 걸립니다. 통나무를 9도막으로 자르는 데 걸리는 시간은 몇 분인지 구해 보세요.(단, 쉬지 않고 통나무를 자릅니다.)

(   )

8 1부터 9까지의 수 중 ▢ 안에 들어갈 수 있는 가장 작은 수를 구해 보세요.

$$200 < 48 \times \boxed{}$$

(   )

9 길이가 45 m인 도로의 양쪽에 처음부터 끝까지 5 m 간격으로 가로등을 설치하려고 합니다. 필요한 가로등은 모두 몇 개인지 구해 보세요.(단, 가로등의 굵기는 생각하지 않습니다.)

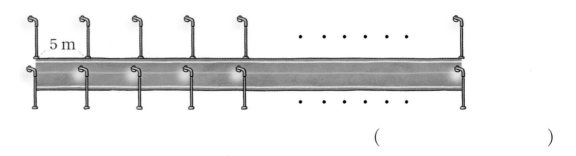

(   )

10 정사각형 모양의 땅에 기둥을 세우려고 합니다. 한 변의 처음부터 끝까지 같은 간격으로 기둥을 42개씩 세운다면 기둥은 모두 몇 개 필요한지 구해 보세요.

(   )

11 한 장의 길이가 36 cm인 색 테이프 5장을 5 cm씩 겹쳐 이어 붙였습니다. 이 색 테이프의 전체 길이는 몇 cm인지 구해 보세요.

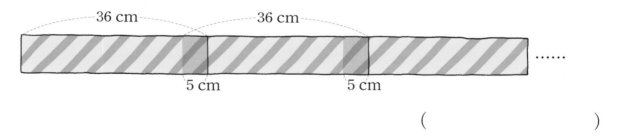

(   )

12 다음 수 카드를 한 번씩만 사용하여 만들 수 있는 가장 큰 두 자리 수와 가장 작은 한 자리 수의 곱을 구해 보세요.

(   )

13 길이가 140 cm인 빨간색 테이프 1장과 길이가 28 cm인 파란색 테이프 6장이 있습니다. 파란색 테이프 6장을 8 cm씩 겹치게 이어 붙였습니다. 빨간색 테이프와 이어 붙인 파란색 테이프 중 길이가 더 긴 색 테이프는 무슨 색깔인지 구해 보세요.

(   )

14 규칙에 따라 수를 늘어놓은 것입니다. ☐ 안에 알맞은 수의 합은 얼마인지 구해 보세요.

1	2	4	8	16	☐	64	☐

(   )

15 다음 조건을 모두 만족하는 두 자리 수를 구해 보세요.

> 조건
> • 일의 자리 숫자는 4입니다.
> • 이 수에 6을 곱하면 504가 됩니다.

(   )

5 길이와 시간

❀ 1 cm보다 작은 단위

1 cm를 10칸으로 똑같이 나누었을 때 작은 눈금 한 칸의 길이를
1 mm라 쓰고 1 밀리미터라고 읽습니다.

1 mm

$1 \text{ cm} = 10 \text{ mm}$

- 25 cm보다 7 mm 더 긴 것

➡ ┌ 쓰기 25 cm 7 mm
  └ 읽기 25 센티미터 7 밀리미터

$25 \text{ cm } 7 \text{ mm} = 257 \text{ mm}$

❀ 1 m보다 큰 단위

1000 m를 1 km라 쓰고 1 킬로미터라고 읽습니다.

1 km

$1000 \text{ m} = 1 \text{ km}$

- 3 km보다 500 m 더 긴 것

➡ ┌ 쓰기 3 km 500 m
  └ 읽기 3 킬로미터 500 미터

$3 \text{ km } 500 \text{ m} = 3500 \text{ m}$

❀ 1분보다 작은 단위

초바늘이 작은 눈금 한 칸을 가는 동안 걸리는 시간을 1초라고 합니다.
초바늘이 시계를 한 바퀴 도는 데 걸리는 시간은 60초입니다.

60초 = 1분

❀ 시간의 덧셈

$$\begin{array}{r} \overset{1}{}15분 \ 40초 \\ +\ 20분 \ 30초 \\ \hline 36분 \ 10초 \end{array}$$

(시각) + (시간) = (시각)
(시간) + (시간) = (시간)

초끼리나 분끼리의 합이 60이거나 60보다 크면 받아올림하여 계산합니다.

❀ 시간의 뺄셈

$$\begin{array}{r} \overset{5}{6}분 \ \overset{60}{15}초 \\ -\ 3분 \ 40초 \\ \hline 2분 \ 35초 \end{array}$$

(시각) − (시간) = (시각)
(시간) − (시간) = (시간)
(시각) − (시각) = (시간)

초끼리나 분끼리 뺄 수 없으면 분이나 시에서 받아내림하여 계산합니다.

1 윤아, 호영, 수찬, 민채가 철봉에 오래 매달리기를 한 시간입니다. 철봉에 오래 매달린 사람부터 차례로 이름을 써 보세요.

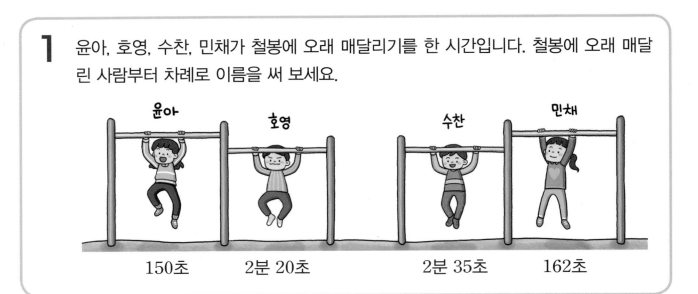

윤아 호영 수찬 민채

150초   2분 20초   2분 35초   162초

❶ 호영이가 철봉에 매달린 시간은 몇 초일까요?

(   )

❷ 수찬이가 철봉에 매달린 시간은 몇 초일까요?

(   )

❸ 철봉에 오래 매달린 사람부터 차례로 이름을 써 보세요.

(   )

2 세수하기와 음악 듣기 중 시간이 더 오래 걸린 일은 무엇인지 써 보세요.

세수하기	음악 듣기
430초	7분 40초

(   )

3 수영의 종류에는 자유형, 평영, 배영, 접영이 있습니다. 어느 수영 선수의 100 m 수영 기록입니다. 빠른 기록을 낸 수영 종류부터 차례로 써 보세요.

자유형	평영	배영	접영
63초	1분 15초	70초	1분 28초

(   )

1 다음은 네 변의 길이가 모두 같은 사각형과 세 변의 길이가 모두 같은 삼각형입니다. 각 도형의 모든 변의 길이의 합을 비교하려고 합니다. 사각형과 삼각형 중 어느 도형의 변의 길이의 합이 몇 cm 몇 mm 더 긴지 구해 보세요.

43 mm   5 cm 2 mm

❶ 사각형의 네 변의 길이의 합은 몇 cm 몇 mm일까요?

(   )

❷ 삼각형의 세 변의 길이의 합은 몇 cm 몇 mm일까요?

(   )

❸ 사각형과 삼각형 중 어느 도형의 변의 길이의 합이 몇 cm 몇 mm 더 긴지 차례로 써 보세요.

(   ), (   )

2 다음은 네 변의 길이가 모두 같은 사각형과 세 변의 길이가 모두 같은 삼각형입니다. 사각형의 네 변의 길이의 합과 삼각형의 세 변의 길이의 합을 더하면 몇 cm 몇 mm인 지 구해 보세요.

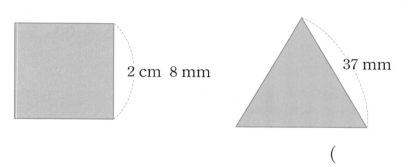

(   )

3 주어진 조건에 맞도록 ☐ 안에 알맞은 수를 써넣으세요.

(1)

> 네 변의 길이의 합이
> 8 cm 8 mm인 정사각형

(2)

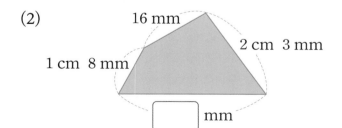

> 네 변의 길이의 합이
> 9 cm인 사각형

1 호수 공원의 입구에서 팔각정까지 가는 길은 보트 타는 곳을 지나는 A코스와 통나무집을 지나는 B코스가 있습니다. A코스와 B코스 중 어느 코스로 가는 길이 몇 m 더 짧은지 구해 보세요.

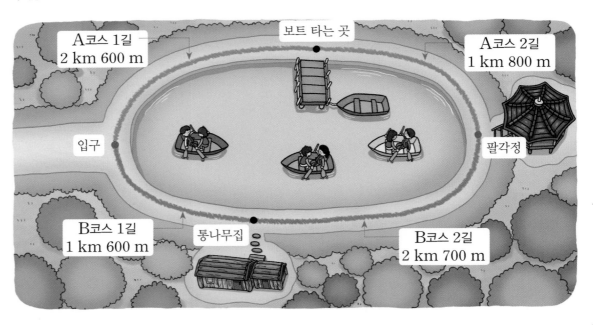

❶ A코스로 가는 길은 몇 km 몇 m일까요?

( )

❷ B코스로 가는 길은 몇 km 몇 m일까요?

( )

❸ A코스와 B코스 중 어느 코스로 가는 길이 몇 m 더 짧은지 차례로 써 보세요.

( ), ( )

2 집에서 도서관까지 가는 길은 병원을 거쳐서 가는 길과 주민센터를 거쳐서 가는 길이 있습니다. 병원과 주민센터 중 어디를 거쳐서 가는 길이 몇 m 더 짧은지 차례로 써 보세요.

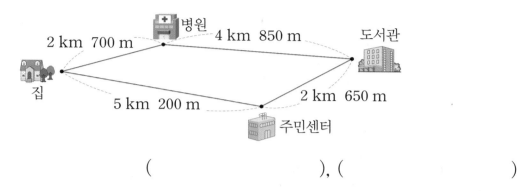

(   ), (   )

3 올림픽 대회에서 마라톤 경주의 거리는 42 km 195 m입니다. 다음을 보고 결승선까지 남은 거리가 가장 짧은 선수와 가장 긴 선수의 남은 거리의 차는 몇 km 몇 m인지 구해 보세요.

선수의 국적	현재까지 뛴 거리
대한민국	30 km 450 m
케냐	34 km 500 m
영국	28 km 150 m

(   )

1 연재가 놀이공원에서 3가지 놀이기구를 탄 시간은 모두 15분 20초입니다. 범퍼카를 탄 시간은 몇 분 몇 초인지 구해 보세요.

회전목마	범퍼카	바이킹

155초	?	7분 42초

❶ 회전목마를 탄 시간은 몇 분 몇 초일까요?

(   )

❷ 회전목마와 바이킹을 탄 시간은 모두 몇 분 몇 초일까요?

(   )

❸ 범퍼카를 탄 시간은 몇 분 몇 초인지 구해 보세요.

(   )

2 다음은 서울 지하철 5호선의 역과 역 사이를 운행하는 데 걸린 시간을 나타낸 것입니다. 우장산역에서 신정역까지 운행하는 데 걸린 시간이 5분 50초라면 까치산역에서 신정역까지 운행하는 데 걸린 시간은 몇 분 몇 초인지 구해 보세요. (단, 지하철이 역에서 멈춰 있는 시간은 생각하지 않습니다.)

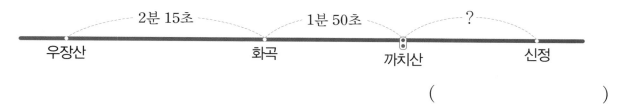

(   )

3 가은이가 피아노 학원과 태권도 학원에 있었던 시간을 나타낸 것입니다. 가은이가 피아노 학원과 태권도 학원에 있었던 시간은 모두 몇 시간 몇 분 몇 초인지 구해 보세요.

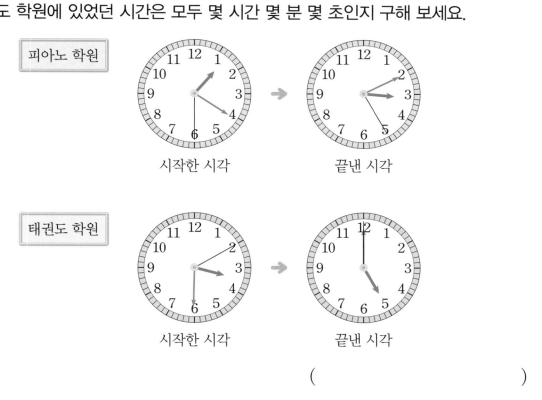

(   )

5
단원

1 진주는 높이가 52 cm 6 mm인 탁자에 올라서서 바닥부터 머리끝까지의 길이를 재었더니 195 cm 3 mm였습니다. 진주가 높이가 485 mm인 의자에 올라서서 바닥부터 머리끝까지의 길이를 재면 몇 cm 몇 mm가 되는지 구해 보세요.

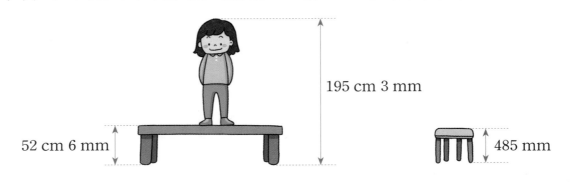

① 진주의 키는 몇 cm 몇 mm일까요?

(   )

② 의자의 높이는 몇 cm 몇 mm일까요?

(   )

③ 진주가 의자에 올라서서 바닥부터 머리끝까지의 길이를 재면 몇 cm 몇 mm가 되는지 구해 보세요.

(   )

2 용빈이는 높이가 62 cm 8 mm인 탁자에 올라서서 바닥부터 머리끝까지의 길이를 재었더니 212 cm 5 mm였습니다. 용빈이가 높이가 13 cm 5 mm인 벽돌에 올라서서 바닥부터 머리끝까지의 길이를 재면 몇 cm 몇 mm가 되는지 구해 보세요.

(   )

3 채민이는 높이가 36 cm 5 mm인 의자에 올라서서 바닥부터 머리끝까지의 길이를 재었더니 180 cm 9 mm였습니다. 채민이가 탁자에 올라서서 바닥부터 머리끝까지 잰 길이가 207 cm 2 mm였다면 탁자의 높이는 몇 cm 몇 mm인지 구해 보세요.

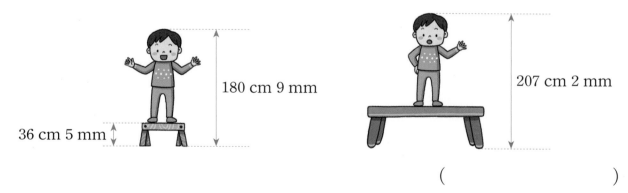

180 cm 9 mm

36 cm 5 mm

207 cm 2 mm

(   )

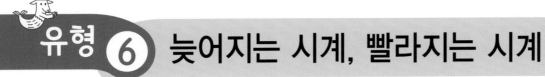

유형 6 늘어지는 시계, 빨라지는 시계   문제 해결

1 하루에 15초씩 늦어지는 시계가 있습니다. 오늘 오전 9시에 이 시계를 정확히 맞추어 놓았다면 6일 후 오전 9시에 이 시계가 가리키는 시각을 구해 보세요.

❶ 하루가 지날 때마다 이 시계가 가리키는 시각을 알아보려고 합니다. 다음 시계에 초바늘을 알맞게 그려 보세요.

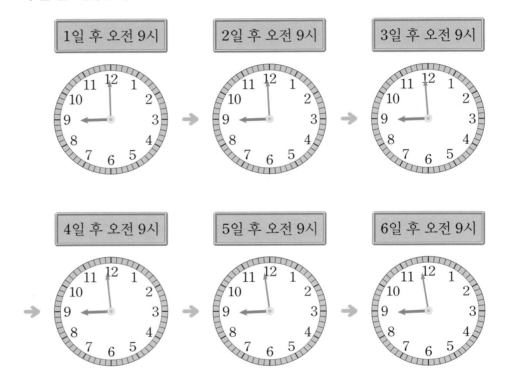

❷ 6일 동안 늦어지는 시간은 몇 분 몇 초일까요?

(   )

❸ 6일 후 오전 9시에 이 시계가 가리키는 시각을 구해 보세요.

오전 (   )

2 하루에 36초씩 늦어지는 시계가 있습니다. 오늘 오전 11시에 이 시계를 정확히 맞추어 놓았다면 5일 후 오전 11시에 이 시계가 가리키는 시각을 구해 보세요.

오전 (   )

3 하루에 25초씩 빨라지는 시계를 오늘 오전 8시에 정확히 맞추어 놓았습니다. 다음 시계에 초바늘을 알맞게 그려 보고, 3일 후 오전 8시에 이 시계가 가리키는 시각을 구해 보세요.

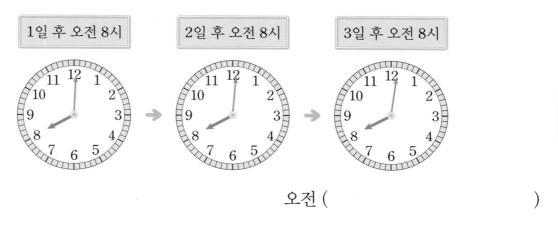

오전 (   )

4 하루에 13초씩 빨라지는 시계가 있습니다. 오늘 오전 10시에 이 시계를 정확히 맞추어 놓았다면 일주일 후 오전 10시에 이 시계가 가리키는 시각을 구해 보세요.

오전 (   )

1 일정한 거리를 달리는 대회에 출전한 선수 4명의 기록입니다. 기록이 빠른 사람부터 차례로 이름을 써 보세요.

선수 이름	선우	지수	종혁	민경
기록	300초	4분 55초	330초	5분 18초

(   )

2 축구 경기가 4시 50분에 시작하여 2시간 20분 동안 진행되었습니다. 축구 경기가 끝난 시각은 몇 시 몇 분인지 구해 보세요.

(   )

3 동혁이가 논술 학원에서 수업을 시작한 시각과 끝낸 시각입니다. 동혁이가 논술 수업을 한 시간은 몇 시간 몇 분 몇 초인지 구해 보세요.

시작한 시각   끝낸 시각

(   )

4 두 연필의 길이의 합은 몇 cm 몇 mm인지 구해 보세요.

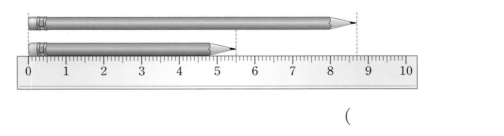

(   )

5 민재는 어제 2 km 465 m를 달렸고, 오늘은 어제보다 1 km 187 m를 더 달렸습니다. 민재가 어제와 오늘 달린 거리는 모두 몇 km 몇 m인지 구해 보세요.

(   )

6 다음은 혜미가 국어, 영어, 수학 공부를 한 시간입니다. 국어, 영어, 수학 공부를 한 시간이 모두 4시간 20분이라면 영어 공부를 한 시간은 몇 시간 몇 분인지 ☐ 안에 알맞은 수를 써넣으세요.

국어	1시간 35분
영어	☐시간 ☐분
수학	1시간 30분

7 주어진 조건에 맞도록 ▢ 안에 알맞은 수를 써넣으세요. (단, ▢ 안에 들어갈 수는 같은 수입니다.)

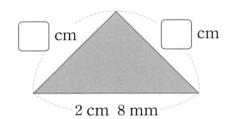

세 변의 길이의 합이
6 cm 8 mm인 삼각형

8 다음은 서울 지하철 2호선의 역과 역 사이를 운행하는 데 걸린 시간을 나타낸 것입니다. 영등포구청역에서 홍대입구역까지 운행하는 데 걸린 시간이 6분 40초라면 영등포구청역에서 당산역까지 운행하는 데 걸린 시간은 몇 분 몇 초인지 구해 보세요. (단, 지하철이 역에서 멈춰 있는 시간은 생각하지 않습니다.)

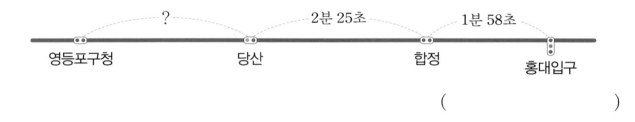

(   )

9 다음은 세 변의 길이가 모두 같은 삼각형과 네 변의 길이가 모두 같은 사각형입니다. 각 도형의 모든 변의 길이의 합을 비교하려고 합니다. 삼각형과 사각형 중 어느 도형의 변의 길이의 합이 몇 cm 몇 mm 더 긴지 차례로 써 보세요.

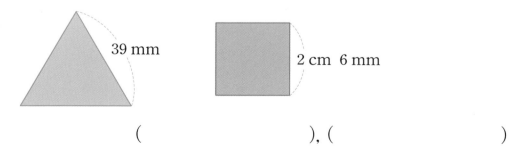

(   ), (   )

10 기차역에서 집까지 가는 길은 과학관을 거쳐서 가는 길과 우체국을 거쳐서 가는 길이 있습니다. 과학관과 우체국 중 어디를 거쳐서 가는 길이 몇 km 몇 m 더 짧은지 차례로 써 보세요.

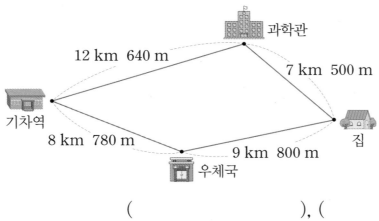

(   ), (   )

11 하루에 15초씩 빨라지는 시계가 있습니다. 오늘 오전 8시에 이 시계를 정확히 맞추어 놓았다면 5일 후 오전 8시에 이 시계가 가리키는 시각을 구해 보세요.

오전 (   )

12 ⓒ에서 ⓔ까지의 거리는 몇 km 몇 m인지 구해 보세요.

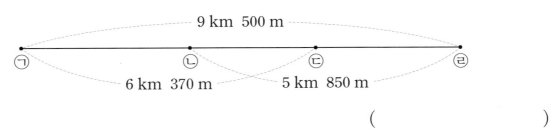

(   )

사고력 종합 평가

13 명훈이는 높이가 43 cm 8 mm인 의자에 올라서서 바닥부터 머리끝까지의 길이를 재었더니 187 cm 2 mm였습니다. 명훈이가 탁자에 올라서서 바닥부터 머리끝까지 잰 길이가 216 cm 5 mm였다면 탁자의 높이는 몇 cm 몇 mm인지 구해 보세요.

(   )

14 현우와 효은이가 종이비행기를 목표 선을 향하여 날리고 있습니다. 현우의 종이비행기는 목표 선보다 16 cm 8 mm 더 길게 날았고, 효은이의 종이비행기는 목표 선보다 22 cm 7 mm 더 짧게 날았습니다. 현우와 효은이가 종이비행기를 날린 거리의 차는 몇 cm 몇 mm인지 구해 보세요.

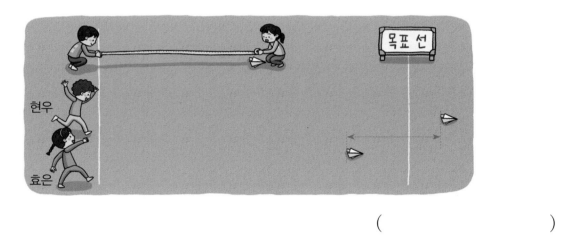

(   )

15 어느 날 해가 뜬 시각은 오전 6시 42분 55초이고 해가 진 시각은 오후 7시 13분 36초였습니다. 이날 밤의 길이는 몇 시간 몇 분 몇 초인지 구해 보세요.

(   )

6 분수와 소수

똑같이 나누기

똑같이 나누어진 것은 크기와 모양이 모두 같습니다. 똑같이 나눈 도형을 서로 겹쳐 보았을 때 완전히 포개어집니다.

분수 알아보기 (1)

전체를 똑같이 2로 나눈 것 중의 1

➡ 쓰기 $\frac{1}{2}$ 읽기 2분의 1

전체를 똑같이 3으로 나눈 것 중의 2

➡ 쓰기 $\frac{2}{3}$ 읽기 3분의 2

분수 $\frac{1}{2}$ ← 분자
← 분모 $\frac{2}{3}$ ← 분자
← 분모

분수 알아보기 (2)

색칠한 부분: $\frac{2}{6}$

색칠하지 않은 부분: $\frac{4}{6}$

전체를 똑같이 6으로 나눈 것 중 2만큼 색칠하고, 4만큼 색칠하지 않았습니다.

분모가 같은 분수의 크기 비교하기

$\overset{3>2}{\frac{3}{4} > \frac{2}{4}}$ 분모가 같은 경우 분자가 클수록 더 큰 분수입니다.

단위분수의 크기 비교하기

• 단위분수: $\frac{1}{2}$, $\frac{1}{3}$, $\frac{1}{4}$, $\frac{1}{5}$ ……과 같이 분자가 1인 분수

$\frac{1}{2} > \frac{1}{3}$ 단위분수는 분모가 작을수록 더 큰 분수입니다.
$\underset{2<3}{}$

소수 알아보기

$\frac{1}{10}$, $\frac{2}{10}$, $\frac{3}{10}$ …… $\frac{9}{10}$

➡ 0.1(영 점 일), 0.2(영 점 이), 0.3(영 점 삼) …… 0.9(영 점 구)

• 소수: 0.1, 0.2, 0.3과 같은 수
        └ 소수점

7과 0.3만큼 ➡ 7.3(칠 점 삼)

소수의 크기 비교하기

① 자연수 부분의 크기를 먼저 비교합니다. 자연수 부분의 크기가 큰 소수가 더 큽니다.

② 자연수 부분의 크기가 같은 경우, 소수 부분의 크기를 비교합니다.

1 주호와 승기가 가지고 있는 피자는 모양과 크기가 같습니다. 피자를 각각 몇 조각씩 먹었는지 알아보세요.

> 주호: 나는 피자 한 판의 $\dfrac{2}{4}$를 먹었어.
>
> 승기: 나는 피자 한 판의 $\dfrac{4}{8}$를 먹었어.

❶ 주호와 승기가 먹은 피자의 양만큼 빗금을 그어 나타내어 보세요.

주호   승기

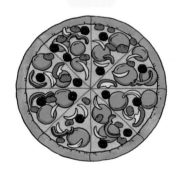   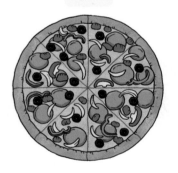

❷ 주호가 먹은 피자는 몇 조각인지 써 보세요.

(   )

❸ 승기가 먹은 피자는 몇 조각인지 써 보세요.

(   )

2 혜미는 쿠키 2개를 각각의 $\dfrac{1}{3}$씩 먹었습니다. 혜미가 먹은 쿠키의 양만큼 빗금을 그어 나타내어 보세요.

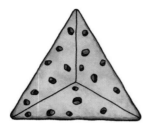

3 연우는 초콜릿을 똑같이 12조각으로 나누어 전체의 $\dfrac{3}{4}$만큼 먹었습니다. 연우가 먹은 초콜릿의 양만큼 빗금을 그어 나타내고 몇 조각을 먹었는지 구해 보세요.

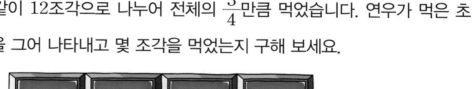

(   )

고대 이집트 분수

1 고대 이집트에서는 분수를 다음과 같이 나타내었습니다. 두 분수의 크기를 비교해 보세요.

$\frac{1}{3}$	$\frac{1}{4}$	$\frac{1}{5}$	$\frac{1}{6}$	$\frac{1}{7}$
$\frac{1}{8}$	$\frac{1}{9}$	$\frac{1}{10}$	$\frac{1}{2}$	$\frac{2}{3}$

❶ 〓을 분수로 나타내어 보세요.

(   )

❷ 〓을 분수로 나타내어 보세요.

(   )

❸ 알맞은 말에 ○표 하세요.

> 단위분수는 (분모 , 분자)가 (클수록 , 작을수록) 더 큰 분수입니다.

❹ 〓와 〓의 크기를 비교하여 ○ 안에 >, =, <를 알맞게 써넣으세요.

[2~4] 고대 이집트에서는 분수를 다음과 같이 나타내었습니다. 물음에 답하세요.

$\dfrac{1}{3}$	$\dfrac{1}{4}$	$\dfrac{1}{5}$	$\dfrac{1}{6}$	$\dfrac{1}{7}$
$\dfrac{1}{8}$	$\dfrac{1}{9}$	$\dfrac{1}{10}$	$\dfrac{1}{2}$	$\dfrac{2}{3}$

2 두 분수의 크기를 비교하여 ○ 안에 알맞게 >, =, <를 써넣으세요.

(1)

(2)

3 □ 안에 알맞은 단위분수를 고대 이집트 분수로 써넣으세요.

4 2부터 9까지의 수 중에서 □ 안에 알맞은 수를 모두 써 보세요.

$$\dfrac{1}{\square} > \text{╥╥}$$

(   )

1 밭 전체의 $\frac{4}{16}$에는 가지를 심고, 나머지의 $\frac{1}{3}$에는 고구마를 심었습니다. 그리고 나머지의 $\frac{5}{8}$에는 고추를 심었다면, 아무것도 심지 않은 부분은 밭 전체의 몇 분의 몇인지 구해 보세요.

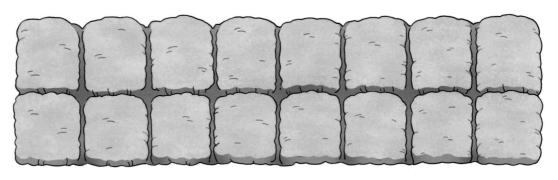

❶ 가지( )를 심은 곳에 보라색( )으로 색칠해 보세요.

❷ 고구마( )를 심은 곳에 갈색( )으로 색칠해 보세요.

❸ 고추( )를 심은 곳에 빨간색( )으로 색칠해 보세요.

❹ 아무것도 심지 않은 부분은 밭 전체의 몇 분의 몇일까요?

(   )

2 동물원 전체의 $\frac{4}{12}$에는 코끼리가 살고, 나머지의 $\frac{1}{4}$에는 원숭이가 삽니다. 그리고 나머지의 $\frac{5}{6}$에는 사자가 산다면, 아무것도 살지 않는 부분은 동물원 전체의 몇 분의 몇인지 구해 보세요.

(   )

3 우리를 똑같이 26칸으로 나누어 기린, 타조, 얼룩말이 살고 있습니다. 기린, 타조, 얼룩말이 사는 부분은 각각 우리 전체의 몇 분의 몇인지 구해 보세요.

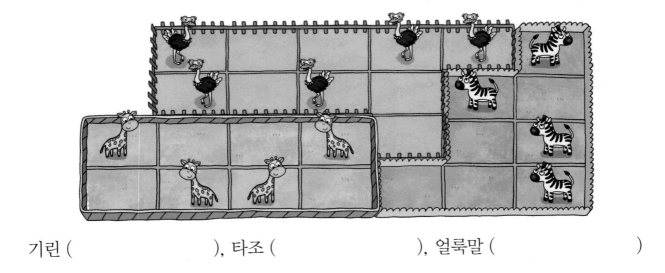

기린 (   ), 타조 (   ), 얼룩말 (   )

1 도형에서 색칠한 부분은 전체의 몇 분의 몇인지 구해 보세요.

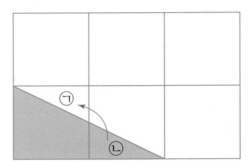

❶ ㉡ 부분을 ㉠ 부분으로 옮겨 칠해 보세요.

❷ □ 안에 알맞은 수를 써넣으세요.

옮겨 색칠해 보니 색칠한 부분은 전체를 똑같이 6으로 나눈 것 중의

□만큼입니다.

❸ 색칠한 부분은 전체의 몇 분의 몇일까요?

(   )

2 도형에서 색칠한 부분은 전체의 몇 분의 몇인지 ☐ 안에 알맞은 수를 써넣으세요.

(1)

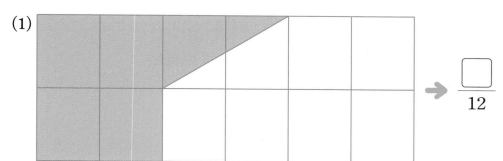

→ $\dfrac{\boxed{}}{12}$

(2)

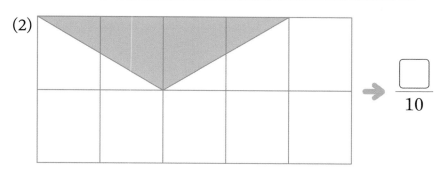

→ $\dfrac{\boxed{}}{10}$

(3)

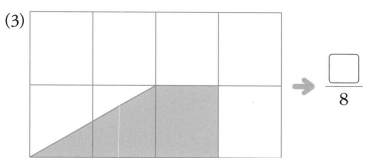

→ $\dfrac{\boxed{}}{8}$

3 도형에서 색칠한 부분은 전체의 몇 분의 몇인지 구해 보세요.

(   )

1 주어진 조건을 모두 만족하는 소수 한 자리 수를 구해 보세요.

> • 0.2와 0.8 사이의 수입니다.
> • $\dfrac{4}{10}$보다 작은 수입니다.

❶ 0.2와 0.8 사이의 소수 한 자리 수를 모두 써 보세요.

(   )

❷ $\dfrac{4}{10}$보다 작은 소수 한 자리 수를 모두 써 보세요.

(   )

❸ ❶, ❷를 모두 만족하는 소수 한 자리 수를 써 보세요.

(   )

2 주어진 조건을 모두 만족하는 소수 한 자리 수를 구해 보세요.

> • 0.3과 0.9 사이의 수입니다.
>
> • $\dfrac{7}{10}$ 보다 큰 수입니다.

(   )

3 1부터 9까지의 수 중에서 ☐ 안에 공통으로 들어갈 수 있는 수를 구해 보세요.

> • 0.☐ < 0.6
> • 5.4 < 5.☐

(   )

6
단원

4 1부터 9까지의 수 중에서 ☐ 안에 공통으로 들어갈 수 있는 수는 모두 몇 개인지 구해 보세요.

> • 2.☐ > 2.4
> • 6.☐ < 6.9

(   )

1 지민이는 4장의 글자 카드 중에서 3장을 뽑아 5보다 작은 소수를 만들려고 합니다. 지민이가 만들 수 있는 소수를 알아보세요.

❶ 글자 카드로 만들 수 있는 소수를 모두 써 보세요.

(　　　　　　　　　　　　　　　　)

❷ ❶의 소수 중에서 5보다 작은 소수를 모두 써 보세요.

(　　　　　　　　　　　　　　)

❸ ❷의 소수를 모두 숫자로 나타내어 보세요.

(　　　　　　　　　　　　　　)

2 석진이는 4장의 글자 카드 중에서 3장을 뽑아 7.5보다 큰 소수를 만들려고 합니다. 석진이가 만들 수 있는 소수를 모두 숫자로 나타내어 보세요.

(   )

3 남준이가 5장의 글자 카드 중에서 3장을 뽑아 5보다 크고 8보다 작은 소수를 만들려고 합니다. 남준이가 만들 수 있는 소수를 모두 숫자로 나타내어 보세요.

(   )

1 재현이는 떡볶이를 만드는 데 양파 $\frac{3}{4}$개와 당근 $\frac{1}{2}$개, 양배추 $\frac{1}{4}$개를 사용했습니다. 재현이가 사용한 양만큼 각각 빗금을 그어 나타내어 보세요.

  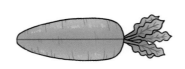 

2 메뚜기의 길이는 몇 cm인지 소수로 나타내어 보세요.

(1)   29 mm

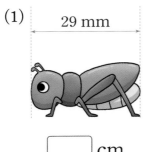

[ ] cm

(2)   48 mm

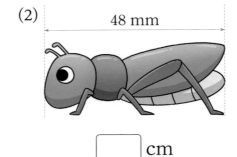

[ ] cm

3 민호는 초콜릿을 똑같이 8조각으로 나누어 전체의 $\frac{3}{4}$만큼 먹었습니다. 민호가 먹은 초콜릿 조각만큼 빗금을 그어 나타내고 몇 조각을 먹었는지 구해 보세요.

(   )

4 혜수는 치즈 케이크를 똑같이 8조각으로 나누어 그중에서 3조각을 먹었습니다. 남은 치즈 케이크는 전체의 얼마인지 분수로 나타내어 보세요.

(   )

5 태형이는 오른쪽과 같은 별 모양 그림의 $\frac{2}{5}$만큼 색칠하려고 합니다. 태형이가 색칠할 부분은 $\frac{1}{10}$이 몇 개인 수일까요? 또, 0.1이 몇 개인 수일까요?

(   ), (   )

6 2부터 9까지의 수 중에서 □ 안에 들어갈 수 있는 수는 모두 몇 개인지 구해 보세요.

$\frac{1}{3}$	$\frac{1}{4}$	$\frac{1}{5}$	$\frac{1}{6}$	$\frac{1}{7}$
$\frac{1}{8}$	$\frac{1}{9}$	$\frac{1}{10}$	$\frac{1}{2}$	$\frac{2}{3}$

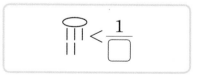

(   )

7 우리를 똑같이 43칸으로 나누어 악어, 하마, 오리가 살고 있습니다. 가장 넓은 곳에서 사는 동물을 쓰고, 그 동물이 사는 곳은 전체의 몇 분의 몇인지 구해 보세요.

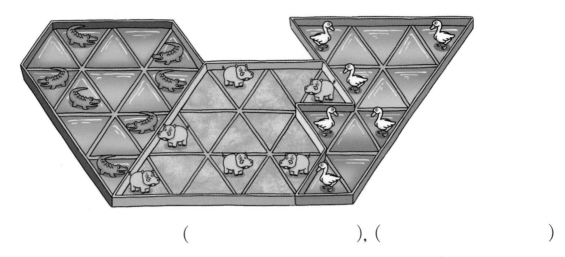

(   ), (   )

8 밭 전체의 $\frac{2}{12}$에는 감자를 심고, 나머지의 $\frac{2}{5}$에는 가지를 심었습니다. 그리고 나머지의 $\frac{1}{6}$에는 오이를 심었다면 아무것도 심지 않은 부분은 밭 전체의 몇 분의 몇인지 구해 보세요.

(   )

9 눈이 1부터 6까지인 주사위 2개를 던져서 나오는 두 수를 이용하여 소수 한 자리 수를 만들려고 합니다. 5보다 큰 소수는 모두 몇 개 만들 수 있을까요?

(   )

10 100원짜리 동전 한 개의 길이는 26 mm, 10원짜리 동전 한 개의 길이는 18 mm입니다. 선분 ㄱㄴ 의 길이는 몇 cm인지 소수로 나타내어 보세요.

(   )

11 도형에서 색칠한 부분은 전체의 몇 분의 몇인지 ☐ 안에 알맞은 수를 써넣으세요.

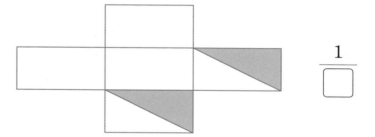

$\dfrac{1}{\Box}$

12 부분을 보고 전체를 그려 보세요.

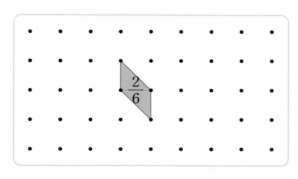

13 주어진 수 카드 중에서 2장을 뽑아 ☐ 안에 넣어 2.5보다 크고 6.2보다 작은 소수 한 자리 수를 만들려고 합니다. 만들 수 있는 소수는 모두 몇 개인지 써 보세요.

☐1☐ ☐2☐ ☐5☐ ☐6☐ ➜ ☐.☐

(   )

14 주어진 조건을 모두 만족하는 소수 한 자리 수는 얼마인지 구해 보세요.

- $\dfrac{7}{10}$보다 작은 수입니다.
- 0.1이 5개인 수보다 큰 수입니다.

(   )

15 1부터 9까지의 수 중에서 ☐ 안에 들어갈 수 있는 수를 구해 보세요.

$\dfrac{1}{10}$이 4개인 수< 0.☐ < 0.1이 6개인 수

(   )

16 철사 1 m를 똑같이 10조각으로 나누어 그중 지현이가 3조각, 용빈이가 5조각을 사용했습니다. 지현이와 용빈이가 사용한 철사의 길이는 각각 몇 m인지 소수로 나타내어 보세요.

지현 (   ), 용빈 (   )

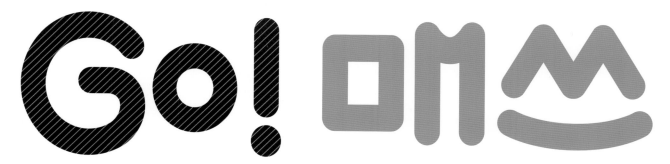

교과서 GO! 사고력 GO!

GO! 매쓰

Jump
유형 사고력

GO!

정답과 풀이 　수학 3-1

열심히
풀었으니까,
한 번 맞춰 볼까?

유형 ① 이집트 수, 산가지 수 창의·용합

정답과 풀이 1쪽

1 고대 이집트에서는 수를 다음과 같이 표현하였습니다. 고대 이집트 수가 나타내는 수를 생각하여 주어진 식을 계산해 보세요.

❶ 𝟡𝟡∩∩∩|||||||가 나타내는 수를 써 보세요.

(**237**)

✿ 𝟡가 2개, ∩가 3개, |가 7개이므로 237입니다.

❷ 𝟡𝟡𝟡∩∩|||||가 나타내는 수를 써 보세요.

(**325**)

✿ 𝟡가 3개, ∩가 2개, |가 5개이므로 325입니다.

❸ 다음 식을 계산하면 얼마일까요?

𝟡𝟡∩∩∩||||||| + 𝟡𝟡𝟡∩∩|||||

(**562**)

✿ 237 + 325 = 562

6 · Jump 3-1

[2~3] 산가지를 사용하여 다음과 같이 수를 나타냅니다. 산가지 수가 나타내는 수를 생각하여 물음에 답하세요.

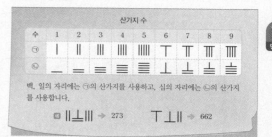

백, 일의 자리에는 ㉠의 산가지를 사용하고, 십의 자리에는 ㉡의 산가지를 사용합니다.

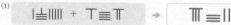

2 다음 식을 계산해 보세요.

(1) ||⊥|||| + |||⊥⫪

(**651**)

(2) ⫪_||||| - ||||⊥⫪

(**319**)

✿ (1) 284 + 367 = 651 (2) 815 - 496 = 319

3 다음 식을 계산하여 산가지 수로 나타내어 보세요.

(1) |⊥|||| + ⏉≡⫪ → ⫪≡||

(2) |||||≡⫪ - |||⊥⫪ → |⊥⫪

✿ (1) 185 + 647 = 832 → ⫪≡||

(2) 537 - 369 = 168 → |⊥⫪

1. 덧셈과 뺄셈 · 7

유형 ② 연속해서 계산하기 문제 해결

정답과 풀이 1쪽

1 보라, 영주, 동현이는 화살을 던져 다음과 같이 풍선을 3개씩 터뜨렸습니다. 풍선을 터뜨렸을 때 보이는 점수의 합이 가장 큰 사람이 곰 인형을 갖는다면 곰 인형을 갖게 되는 사람은 누구인지 구해 보세요.

❶ 보라, 영주, 동현이가 얻은 점수는 각각 몇 점인지 구해 보세요.

보라 (**931점**), 영주 (**903점**), 동현 (**870점**)

✿ 보라: 507 + 207 + 217 = 714 + 217 = 931(점)
영주: 250 + 553 + 100 = 803 + 100 = 903(점)
동현: 416 + 115 + 339 = 531 + 339 = 870(점)

❷ 곰 인형을 갖게 되는 사람은 누구일까요?

(**보라**)

✿ 931 > 903 > 870이므로 보라가 곰 인형을 갖게 됩니다.

8 · Jump 3-1

2 준재네 가족은 과수원에서 귤을 700개 따려고 합니다. 다음을 보고 준재는 귤을 몇 개 따야 하는지 구해 보세요.

(**84개**)

✿ (아빠와 엄마가 따는 귤의 수) = 329 + 287 = 616(개)
→ (준재가 따야 할 귤의 수) = 700 - 616 = 84(개)

3 길이가 8 m인 끈 중에서 진호가 325 cm, 동생이 261 cm를 사용했습니다. 남은 끈은 몇 cm인지 구해 보세요.

(**214 cm**)

✿ 8 m = 800 cm
(사용한 끈의 길이) = 325 + 261 = 586 (cm)
(남은 끈의 길이) = (처음 끈의 길이) - (사용한 끈의 길이)
= 800 - 586 = 214 (cm)

4 ㉡에서 ㉢까지의 거리는 몇 m인지 구해 보세요.

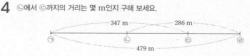

(**154 m**)

✿ (㉡에서 ㉢까지의 거리)는 (㉠에서 ㉢까지의 거리)와 (㉡에서 ㉣까지의 거리)의 합에서 (㉠에서 ㉣까지의 거리)를 뺍니다.
(㉠~㉢) + (㉡~㉣) = 347 + 286 = 633 (m)이므로
(㉡~㉢) = 633 - 479 = 154 (m)입니다.

1. 덧셈과 뺄셈 · 9

GO! 매쓰 Jump 정답

유형 ③ 계산 결과를 비교하기 (문제 해결)

1 서진이와 나영이는 1모둠이고 준수와 효린이는 2모둠입니다. 각 모둠이 가지고 있는 색 테이프로 게시판을 꾸미려고 할 때, 어느 모둠의 색 테이프 길이가 몇 cm 더 짧은지 구해 보세요.

① 1모둠 친구들이 가지고 있는 색 테이프의 길이는 모두 몇 cm일까요?

(**693 cm**)

❖ 4 m 5 cm=405 cm이므로 405+288=693 (cm) 입니다.

② 2모둠 친구들이 가지고 있는 색 테이프의 길이는 모두 몇 cm일까요?

(**718 cm**)

❖ 4 m 34 cm=434 cm이므로 434+284=718 (cm) 입니다.

③ 1모둠과 2모둠 중 어느 모둠의 색 테이프 길이가 몇 cm 더 짧은지 차례로 써 보세요.

(**1모둠**). (**25 cm**)

❖ 693<718이므로 1모둠의 색 테이프 길이가 718-693=25 (cm) 더 짧습니다.

---

2 보미가 어제와 오늘 먹은 간식의 칼로리입니다. 어제와 오늘 중 언제 먹은 간식의 칼로리가 몇 킬로칼로리 더 높은지 차례로 써 보세요.

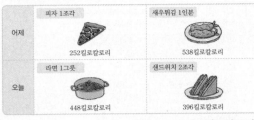

어제	피자 1조각 252킬로칼로리	새우튀김 1인분 538킬로칼로리
오늘	라면 1그릇 448킬로칼로리	샌드위치 2조각 396킬로칼로리

(**오늘**). (**54킬로칼로리**)

❖ (어제 먹은 간식의 칼로리)=252+538=790(킬로칼로리)
(오늘 먹은 간식의 칼로리)=448+396=844(킬로칼로리)
790<844이므로 오늘 먹은 간식의 칼로리가
844-790=54(킬로칼로리) 더 높습니다.

3 수영장에서 집으로 가는 길은 공원을 거쳐서 가는 길 ㉮와 도서관을 거쳐서 가는 길 ㉯가 있습니다. ㉮와 ㉯ 중 어느 길이 몇 m 더 짧은지 차례로 써 보세요.

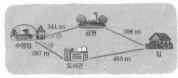

(**㉯**). (**47 m**)

❖ ㉮: 341+398=739 (m)
㉯: 287+405=692 (m)
739>692이므로 ㉯가 739-692=47 (m) 더 짧습니다.

유형 ④ 합, 차가 가장 큰 식 만들기 (추론)

1 두 수를 골라 합이 가장 크게 되는 식을 만들고 계산해 보세요.

| 513 | 362 | 472 | 299 |

□+□=□

① 알맞은 말에 ○표 하세요.

두 수의 합이 가장 큰 식을 만들 때 더해야 하는 두 수는
가장 큰 수와 (가장 작은 수, **두 번째로 큰 수**)입니다.

❖ 더하는 수가 클수록 합도 커지므로 가장 큰 수와 두 번째로 큰 수를 더해야 합니다.

② 주어진 수의 크기를 비교하여 큰 수부터 차례대로 써 보세요.

513 > 472 > 362 > 299

③ 두 수의 합이 가장 큰 식을 만들 때 더해야 하는 두 수를 써 보세요.

(**513** . **472**)

❖ 합이 가장 크려면 가장 큰 수 513과 두 번째로 큰 수 472를 더해야 합니다.

④ 두 수의 합이 가장 크게 되는 식을 만들고 계산해 보세요.

513+472=985
(또는 472+513=985)

---

2 두 수를 골라 합이 가장 크게 되는 식을 만들고 계산해 보세요.

| 196 | 563 | 227 | 834 |

834+563=1397
(또는 563+834=1397)

❖ 합이 가장 크려면 가장 큰 수와 두 번째로 큰 수를 더하면 됩니다.
834>563>227>196이므로 가장 큰 수 834와 두 번째로 큰 수 563을 더합니다.
➡ 834+563=1397

3 두 수를 골라 차가 가장 크게 되는 식을 만들고 계산해 보세요.

| 347 | 139 | 614 | 786 |

786-139=647

❖ 차가 가장 크려면 가장 큰 수에서 가장 작은 수를 빼면 됩니다.
786>614>347>139이므로 가장 큰 수 786에서 가장 작은 수 139를 뺍니다.
➡ 786-139=647

4 수 카드 4장 중 3장을 골라 한 번씩만 사용하여 세 자리 수를 만들고 있습니다. 만들 수 있는 세 자리 수 중 두 수를 골라 차가 가장 크게 되는 식을 만들고 계산해 보세요.

| 2 | 3 | 6 | 8 |

863-236=627

❖ 차가 가장 크려면 가장 큰 수에서 가장 작은 수를 빼면 되므로 만들 수 있는 세 자리 수 중 가장 큰 수 863에서 가장 작은 수 236을 뺍니다.
➡ 863-236=627

유형 5 세 자리 수를 만들어 계산하기 _추론_

정답과 풀이 3쪽

1 수 카드 4장 중 3장을 골라 한 번씩만 사용하여 세 자리 수를 만들고 있습니다. 만들 수 있는 세 자리 수 중 두 번째로 큰 수와 세 번째로 작은 수의 차를 구해 보세요.

| 3 | 1 | 7 | 9 |

❶ 만들 수 있는 세 자리 수 중에서 가장 큰 수를 써 보세요.

(**973**)

✤ 높은 자리에 큰 숫자부터 차례로 놓습니다. ➡ 973

❷ 만들 수 있는 세 자리 수 중에서 두 번째로 큰 수를 써 보세요.

(**971**)

✤ 가장 큰 세 자리 수 973에서 일의 자리 숫자를 3 다음으로 큰 수인 1로 바꿉니다. ➡ 971

❸ 만들 수 있는 세 자리 수 중에서 가장 작은 수를 써 보세요.

(**137**)

✤ 높은 자리에 작은 숫자부터 차례로 놓습니다. ➡ 137

❹ 만들 수 있는 세 자리 수 중에서 두 번째로 작은 수를 써 보세요.

(**139**)

✤ 가장 작은 세 자리 수 137에서 일의 자리 숫자를 7 다음으로 작은 수인 9로 바꿉니다. ➡ 139

❺ 만들 수 있는 세 자리 수 중에서 세 번째로 작은 수를 써 보세요.

(**173**)

✤ 두 번째로 작은 수 139에서 십의 자리 숫자를 3 다음으로 작은 수인 7로 바꾸고 일의 자리 숫자를 남은 수 중 가장 작은 수인 3으로 바꿉니다. ➡ 173

❻ ❷와 ❺에서 만든 두 수의 차를 구해 보세요.

(**798**)

✤ $971-173=798$

2 주머니 안에 있는 구슬 5개 중 3개를 골라 한 번씩만 사용하여 세 자리 수를 만들고 있습니다. 만들 수 있는 세 자리 수 중 두 번째로 큰 수와 세 번째로 작은 수의 합을 구해 보세요.

(**1122**)

✤ ① 가장 큰 세 자리 수: 875
두 번째로 큰 세 자리 수: 874
② 가장 작은 세 자리 수: 245
두 번째로 작은 세 자리 수: 247
세 번째로 작은 세 자리 수: 248
➡ $874+248=1122$

3 수 카드 4장 중 3장을 골라 한 번씩만 사용하여 세 자리 수를 만들고 있습니다. 만들 수 있는 세 자리 수 중 세 번째로 큰 수와 두 번째로 작은 수의 차를 구해 보세요.

| 5 | 0 | 8 | 6 |

(**348**)

✤ ① 가장 큰 세 자리 수: 865
두 번째로 큰 세 자리 수: 860
세 번째로 큰 세 자리 수: 856
② 가장 작은 세 자리 수: 506
두 번째로 작은 세 자리 수: 508
➡ $856-508=348$

유형 6 바르게 계산한 값 구하기 _문제 해결_

정답과 풀이 3쪽

1 어떤 수에서 247을 뺀 다음 320을 더해야 할 것을 잘못하여 247을 더한 다음 320을 뺐더니 615가 되었습니다. 바르게 계산한 값을 구해 보세요.

❶ 320을 빼기 전의 수를 구해 보세요.

(**935**)

✤ 320을 뺐더니 615가 되었으므로 320을 빼기 전의 수는 $615+320=935$입니다.

❷ 247을 더하기 전의 수를 구해 보세요.

(**688**)

✤ 247을 더했더니 935가 되었으므로 247을 더하기 전의 수는 $935-247=688$입니다.

❸ 어떤 수는 얼마인지 구해 보세요.

(**688**)

✤ 어떤 수는 247을 더하기 전의 수와 같으므로 688입니다.

❹ 바르게 계산한 값을 구해 보세요.

(**761**)

✤ $688-247=441$, $441+320=761$이므로 바르게 계산한 값은 761입니다.

2 어떤 수에 217을 더한 다음 142를 빼야 할 것을 잘못하여 217을 뺀 다음 142를 더했더니 289가 되었습니다. 바르게 계산한 값을 구해 보세요.

(**439**)

✤ 142를 더하기 전: $289-142=147$
217을 빼기 전: $147+217=364$
어떤 수는 217을 빼기 전의 수와 같으므로 364입니다.
➡ 바른 계산: $364+217=581$, $581-142=439$이므로 바르게 계산한 값은 439입니다.

3 705에서 어떤 수를 한 번 빼야 할 것을 두 번 뺐더니 483이 되었습니다. 바르게 계산한 값을 구해 보세요.

(**594**)

✤ 어떤 수 2개의 합은 $705-483=222$이고 $222=111+111$이므로 어떤 수는 111입니다.
➡ 바른 계산: $705-111=594$

4 469에 어떤 수를 한 번 더해야 할 것을 두 번 더했더니 913이 되었습니다. 바르게 계산한 값을 구해 보세요.

(**691**)

✤ 어떤 수 2개의 합은 $913-469=444$이고 $444=222+222$이므로 어떤 수는 222입니다.
➡ 바른 계산: $469+222=691$

사고력 종합 평가

1 다음 수 중에서 가장 큰 수와 가장 작은 수의 합과 차를 각각 구해 보세요.

| 675 | 398 | 802 | 545 |

합 (**1200**), 차 (**404**)

❖ 802 > 675 > 545 > 398이므로 가장 큰 수는 802,
가장 작은 수는 398입니다.
802 + 398 = 1200, 802 − 398 = 404

2 고대 이집트에서 표현한 수를 보고 다음을 계산해 보세요.

고대 이집트 수

고대 이집트 숫자	⑨	∩	Ⅰ
나타내는 수	100	10	1

(1) ⑨⑨⑨∩∩∩∩ⅠⅠⅠⅠⅠⅠⅠⅠ + ⑨⑨∩∩∩∩∩∩ⅠⅠⅠⅠ

(**632**)

(2) ⑨⑨⑨⑨⑨∩∩ⅠⅠⅠⅠⅠ − ⑨⑨⑨∩∩∩∩ⅠⅠⅠⅠⅠⅠⅠⅠ

(**178**)

❖ (1) 358 + 274 = 632
(2) 526 − 348 = 178

3 승기네 학교 남학생은 579명, 여학생은 403명입니다. 올해 114명이 전학을 갔다면 남은 학생은 몇 명인지 구해 보세요.

(**868명**)

❖ (전체 학생 수) = 579 + 403 = 982(명)

(전학을 가고 남은 학생 수) = 982 − 114 = 868(명)

4 가장 큰 수와 가장 작은 수의 합에서 나머지 수를 뺀 값을 구해 보세요.

| 375 | 211 | 409 |

(**245**)

❖ 409 > 375 > 211이므로 가장 큰 수는 409이고 가장 작은 수는 211입니다.
따라서 가장 큰 수와 가장 작은 수의 합은 409 + 211 = 620이므로 620에서 나머지 수 375를 빼면 620 − 375 = 245입니다.

5 진주는 어머니 생신 선물을 포장하려고 합니다. 선물을 포장하고 남은 리본은 몇 cm인지 구해 보세요.

리본 6 m 2 cm 중에서 345 cm를 사용했어.

(**257 cm**)

❖ 6 m 2 cm = 602 cm
➔ (남은 리본의 길이) = (전체 리본의 길이) − (사용한 리본의 길이)
= 602 − 345 = 257 (cm)

6 ㉮ 상자에는 빨간색 구슬 357개와 파란색 구슬 326개가 들어 있고, ㉯ 상자에는 빨간색 구슬 389개와 파란색 구슬 272개가 들어 있습니다. 어느 상자에 구슬이 몇 개 더 많이 들어 있는지 차례로 써 보세요.

㉮ ㉯

(**㉮ 상자**), (**22개**)

❖ (㉮ 상자에 들어 있는 구슬 수) = 357 + 326 = 683(개)
(㉯ 상자에 들어 있는 구슬 수) = 389 + 272 = 661(개)
➔ 683 > 661이므로 ㉮ 상자에 구슬이
683 − 661 = 22(개) 더 많이 들어 있습니다.

사고력 종합 평가

7 주머니 안에 있는 4개의 수 중에서 두 수를 골라 차가 가장 크게 되는 식을 만들고 계산해 보세요.

327 788 905 463

905 − 327 = 578

❖ 차가 가장 크려면 가장 큰 수에서 가장 작은 수를 빼면 됩니다.
905 > 788 > 463 > 327이므로 가장 큰 수 905에서 가장 작은 수 327을 뺍니다. ➔ 905 − 327 = 578

8 수 카드 4장 중 3장을 골라 한 번씩만 사용하여 세 자리 수를 만들고 있습니다. 만들 수 있는 세 자리 수 중 가장 큰 수와 가장 작은 수의 차를 구해 보세요.

| 8 | 3 | 0 | 6 |

(**557**)

❖ 가장 큰 수는 백의 자리부터 큰 수를 차례대로 쓰면 되므로 863입니다.
가장 작은 수는 백의 자리부터 작은 수를 차례대로 쓰면 되므로 306입니다.
이때 0은 백의 자리에 올 수 없음을 주의합니다. ➔ 863 − 306 = 557

9 0부터 9까지의 수 중에서 □ 안에 들어갈 수 있는 수를 모두 써 보세요.

(1)
268 + 69□ < 964

(**0, 1, 2, 3, 4, 5**)

❖ 268 + 69□ = 964라고 하면
964 − 268 = 69□이므로 □ = 6입니다. 268 + 69□의 값이 964보다 작으려면
□ 안에는 6보다 작은 수인 0, 1, 2, 3, 4, 5가 들어갈 수 있습니다.

(2)
763 − 2□5 < 518

(**5, 6, 7, 8, 9**)

❖ 763 − 2□5 = 518이라고
하면 763 − 518 = 2□5이므로 □ = 4입니다.

763 − 2□5의 값이 518보다 작으려면 □ 안에는 4보다 큰 수인
5, 6, 7, 8, 9가 들어갈 수 있습니다.

10 두 장의 색 테이프를 겹쳐서 이어 붙였습니다. 겹쳐진 부분의 길이는 몇 cm인지 구해 보세요.

356 cm 369 cm
634 cm

(**91 cm**)

❖ (두 색 테이프의 길이의 합) = 356 + 369 = 725 (cm)
➔ (겹쳐진 부분의 길이)
= (두 색 테이프의 길이의 합) − (이은 색 테이프의 전체 길이)
= 725 − 634 = 91 (cm)

11 어떤 수에 126을 더한 다음 349를 빼야 할 것을 잘못하여 126을 뺀 다음 349를 더했더니 915가 되었습니다. 바르게 계산한 값을 구해 보세요.

(**469**)

❖ 349를 더하기 전: 915 − 349 = 566
126을 빼기 전: 566 + 126 = 692
어떤 수는 126을 빼기 전의 수와 같으므로 692입니다.
➔ 바른 계산: 692 + 126 = 818, 818 − 349 = 469이므로 바르게
계산한 값은 469입니다.

12 옳은 식이 되도록 수 카드 1장을 바꾸는 방법을 알아보세요.

2 5 7 + 3 6 4 = 6 0 1

방법1 계산 결과 601에서 수 카드 **0** 을/를 **2** (으)로 바꿉니다.

방법2 더해지는 수 257에서 수 카드 **5** 을/를 **3** (으)로 바꿉니다.

방법3 더하는 수 364에서 수 카드 **6** 을/를 **4** (으)로 바꿉니다.

❖ · 257 + 364 = □에서 □ = 621이므로 601의 십의 자리 숫자
0을 2로 바꿉니다.
· □ + 364 = 601에서 □ = 601 − 364, □ = 237이므로
257의 십의 자리 숫자 5를 3으로 바꿉니다.
· 257 + □ = 601에서 □ = 601 − 257, □ = 344이므로
364의 십의 자리 숫자 6을 4로 바꿉니다.

사고력 종합 평가　　　　　　　　　　　　　정답과 풀이 5쪽

13 다음 식에서 ♥가 나타내는 수를 구해 보세요.

$$680 - ♥ - ♥ = 434$$

(**123**)

❖ 680에서 ♥를 2번 빼어 434가 되었으므로 ♥ 2개의 합은
$680 - 434 = 246$입니다.
$246 = 123 + 123$이므로 ♥는 123입니다.

14 ㉮, ㉯ 두 삼각형의 세 변의 길이의 합이 같습니다. ㉯ 삼각형의 나머지 한 변의 길이는 몇 cm인지 구해 보세요.

❖ (㉮ 삼각형의 세 변의 길이의 합)　　　(**296 cm**)
　$= 324 + 236 + 408 = 560 + 408 = 968$ (cm)
➡ ㉯ 삼각형의 세 변의 길이의 합도 968 cm이고 ㉯ 삼각형의
　세 변 중 두 변의 길이의 합이 $294 + 378 = 672$ (cm)이므로
　나머지 한 변의 길이는 $968 - 672 = 296$ (cm)입니다.

15 세계의 높은 건물을 조사했습니다. 높이의 차가 200 m에 가장 가까운 두 건물을 찾아 써 보세요.

건물 이름	타이페이 101	상하이 타워	홍콩 국제 상업 센터	버즈 칼리파
높이(m)	508	632	484	828

(**상하이 타워** , **버즈 칼리파**)

❖ 높이의 차가 200 m에 가장 가까운 두 건물은 높이의 차가
　$828 - 632 = 196$ (m)인 상하이 타워와 버즈 칼리파입니다.

[GO! 매쓰]
여기까지 1단원 내용입니다.
다음부터는 2단원 내용이
시작합니다.

유형 ① 　**직선의 개수**　　문제 해결　　　　정답과 풀이 5쪽

1 그림에서 직선은 모두 몇 개인지 구해 보세요.

❶ □ 안에 알맞은 말을 써넣으세요.

직선은 선분을 양쪽으로 끝없이 늘인 **곧은 선** 입니다.

❷ 그림에서 직선을 모두 찾아 써 보세요.

(**직선 ㄴㅂ, 직선 ㄴㅁ, 직선 ㄷㅂ**)
또는 직선 ㅂㄴ, 직선 ㅁㄴ, 직선 ㅂㄷ

❸ 직선은 모두 몇 개인지 써 보세요.

(**3개**)

[2~5] 주어진 점을 이용하여 직선을 모두 그어 보고, 몇 개의 직선을 그을 수 있는지 써 보세요.

2

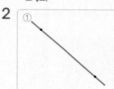

직선의 개수
➡(**1개**)

3

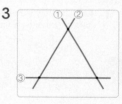

직선의 개수
➡(**3개**)

2 단원

4

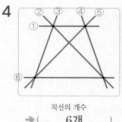

직선의 개수
➡(**6개**)

5

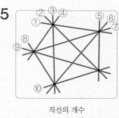

직선의 개수
➡(**10개**)

유형 ② 직각의 개수 〔창의·융합〕

1 다음 글자에서 찾을 수 있는 직각은 모두 몇 개인지 구해 보세요.

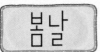

① '봄'에서 찾을 수 있는 직각은 몇 개인지 구해 보세요.
(12개)

 ➡ 12개

② '날'에서 찾을 수 있는 직각은 몇 개인지 구해 보세요.
(7개)

 ➡ 7개

③ 직각은 모두 몇 개인지 구해 보세요.
(19개)

❖ $12+7=19$(개)

2 다음 글자에서 찾을 수 있는 직각은 모두 몇 개인지 구해 보세요.

(15개)

 ➡ $8+2+5=15$(개)

3 ㉠과 ㉡의 글자에서 찾을 수 있는 직각의 개수의 차는 몇 개인지 구해 보세요.

(10개)

❖ ㉠ 2개 ㉡ $8+4=12$(개)
➡ $12-2=10$(개)

4 찾을 수 있는 직각의 개수가 다른 한 글자는 무엇인지 써 보세요.

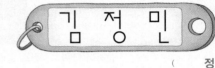

(정)

 ➡ 5개, ➡ 2개, ➡ 5개

유형 ③ 직각삼각형과 직사각형 〔문제 해결〕

1 네 각이 모두 직각인 사각형 모양 종이를 선을 따라 잘랐습니다. 잘랐을 때 생긴 직각삼각형과 직사각형의 수의 차를 구해 보세요.

① 직각삼각형을 모두 찾아 ○표 하고, 몇 개인지 써 보세요.
(6개)

❖ 한 각이 직각인 삼각형을 찾아 ○표 합니다.
➡ 6개

② 직사각형을 모두 찾아 △표 하고, 몇 개인지 써 보세요.
(4개)

❖ 네 각이 모두 직각인 사각형을 찾아 △표 합니다.
➡ 4개

③ 직각삼각형과 직사각형 수의 차는 몇 개인지 구해 보세요.
(2개)

❖ $6-4=2$(개)

[2~5] 정사각형 모양의 종이에 선을 3번 그어 주어진 수만큼 직각삼각형과 직사각형을 만들어 보세요.

2

직각삼각형	직사각형
4개	0개

예

3

직각삼각형	직사각형
4개	0개

예

4

직각삼각형	직사각형
2개	2개

예

5

직각삼각형	직사각형
2개	2개

예

유형 ④ 사각형의 네 변의 길이의 합   문제 해결

1 크기가 같은 정사각형 모양 우리 2개를 붙여 큰 직사각형 모양 우리를 만들었습니다. 큰 우리의 네 변의 길이의 합은 몇 m인지 구해 보세요.

15 m

⬛ 15 m   ⬛ 15 m

❶ □ 안에 알맞은 말을 써넣으세요.

정사각형은 **네** 변의 길이가 같습니다.

❷ □ 안에 알맞은 수를 써넣으세요.
❖ 정사각형은 네 변의 길이가 모두 같으므로 변의 길이는 모두 15 m입니다.

❸ 큰 우리의 네 변의 길이의 합은 몇 m인지 구해 보세요.
(**90 m**   )
❖ 15＋15＋15＋15＋15＋15＝90 (m)

2 크기가 같은 정사각형 3개를 겹치지 않게 이어 붙여 만든 직사각형입니다. 만든 직사각형의 네 변의 길이의 합은 몇 cm인지 구해 보세요.

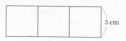

3 cm

(**24 cm**   )

❖ (만든 직사각형의 가로)＝3＋3＋3＝9 (cm)
➜ 9＋3＋9＋3＝24 (cm)

3 크기가 같은 정사각형 2개를 겹치지 않게 이어 붙여 만든 직사각형입니다. 만든 직사각형의 네 변의 길이의 합은 몇 cm인지 구해 보세요.

5 cm

(**30 cm**   )

❖ (만든 직사각형의 가로)＝5＋5＝10 (cm)
➜ 10＋5＋10＋5＝30 (cm)

4 크기가 같은 정사각형 4개를 겹치지 않게 이어 붙여 큰 정사각형을 만들었습니다. 이 정사각형의 네 변의 길이의 합은 몇 cm인지 구해 보세요.

5 cm

(**40 cm**   )

❖ 큰 정사각형의 한 변의 길이는 5＋5＝10 (cm)입니다.
➜ (큰 정사각형의 네 변의 길이의 합)
　 ＝10＋10＋10＋10＝40 (cm)

유형 ⑤ 정사각형의 활용   문제 해결

1 그림에서 색칠한 두 사각형은 정사각형입니다. ㉠의 길이는 몇 cm인지 구해 보세요.

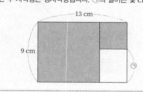

13 cm

9 cm

㉠

❶ 큰 정사각형의 한 변의 길이는 몇 cm일까요?
(**9 cm**   )

❷ 작은 정사각형의 한 변의 길이는 몇 cm일까요?
(**4 cm**   )
❖ (작은 정사각형의 한 변의 길이)
　 ＝13－(큰 정사각형의 한 변의 길이)
　 ＝13－9＝4 (cm)

❸ ㉠의 길이는 몇 cm일까요?
(**5 cm**   )
❖ (㉠의 길이)＝9－4＝5 (cm)

2 그림에서 색칠한 두 사각형은 정사각형입니다. ㉠의 길이는 몇 cm인지 구해 보세요.

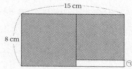

15 cm

8 cm

㉠

(**1 cm**   )

❖ (큰 정사각형의 한 변의 길이)＝8 cm
　 (작은 정사각형의 한 변의 길이)＝15－8＝7 (cm)
➜ (㉠의 길이)＝8－7＝1 (cm)

3 그림에서 색칠한 두 사각형은 정사각형입니다. ㉠의 길이는 몇 cm인지 구해 보세요.

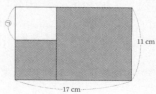

㉠

11 cm

17 cm

(**5 cm**   )

❖ (큰 정사각형의 한 변의 길이)＝11 cm
　 (작은 정사각형의 한 변의 길이)＝17－11＝6 (cm)
➜ (㉠의 길이)＝11－6＝5 (cm)

유형 6 크고 작은 사각형 〔창의·융합〕

1 펜토미노는 정사각형 5개를 이어 붙인 도형으로 모양을 만드는 퍼즐입니다. 아래 그림에 U자 모양 펜토미노에서 찾을 수 있는 크고 작은 직사각형은 모두 몇 개인지 구해 보세요.

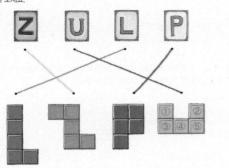

❶ 정사각형 1개로 이루어진 직사각형은 몇 개일까요?   (5개)

❖ ①, ②, ③, ④, ⑤ ➡ 5개

❷ 정사각형 2개로 이루어진 직사각형은 몇 개일까요?   (4개)

❖ ①+③, ③+④, ④+⑤, ②+⑤ ➡ 4개

❸ 정사각형 3개로 이루어진 직사각형은 몇 개일까요?   (1개)

❖ ③+④+⑤ ➡ 1개

❹ 찾을 수 있는 크고 작은 직사각형은 모두 몇 개일까요?   (10개)

❖ 5+4+1=10(개)

34 · Jump 3-1

정답과 풀이 8쪽

2 도형에서 찾을 수 있는 크고 작은 정사각형은 모두 몇 개인지 구해 보세요.

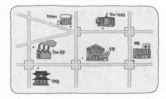

(1) 작은 정사각형 1개로 이루어진 정사각형은 몇 개일까요?   (6개)
❖ ①, ②, ③, ④, ⑤, ⑥ ➡ 6개
(2) 작은 정사각형 4개로 이루어진 정사각형은 몇 개일까요?   (2개)
❖ ①+②+④+⑤, ②+③+⑤+⑥ ➡ 2개
(3) 찾을 수 있는 크고 작은 정사각형은 모두 몇 개일까요?   (8개)
❖ 6+2=8(개)

2 단원

3 도형에서 찾을 수 있는 크고 작은 직사각형은 모두 몇 개인지 구해 보세요.

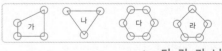

❖ 작은 정사각형 1개로 이루어진 직사각형: (12개)
①, ②, ③, ④, ⑤ ➡ 5개
작은 정사각형 2개로 이루어진 직사각형: ①+②, ②+③, ①+④, ②+⑤, ④+⑤ ➡ 5개
작은 정사각형 3개로 이루어진 직사각형: ①+②+③ ➡ 1개
작은 정사각형 4개로 이루어진 직사각형: ①+②+④+⑤ ➡ 1개
➡ 5+5+1+1=12(개)

2. 평면도형 · 35

사고력 종합 평가

1 점 ㄱ과 이어서 그릴 수 있는 선분은 모두 몇 개인지 구해 보세요.

(4개)

❖ 선분: 두 점을 곧게 이은 선

2 그림에서 직각삼각형을 모두 찾아 색칠해 보세요.

❖ 한 각이 직각인 삼각형을 찾아 색칠합니다.

3 4개의 점 중에서 점 2개를 이어 그을 수 있는 선분은 모두 몇 개인지 구해 보세요.

(6개)

36 · Jump 3-1

정답과 풀이 8쪽

4 어느 마을의 약도입니다. 약도에 나타난 길에서 찾을 수 있는 직각은 모두 몇 개인지 써 보세요.

(18개)

❖ 직각은 모두 18개 찾을 수 있습니다.

2 단원

5 각이 많은 도형부터 순서대로 기호를 써 보세요.

(다, 라, 가, 나)

❖ 각은 한 점에서 그은 두 반직선으로 이루어진 도형입니다.
➡ 가: 4개, 나: 3개, 다: 6개, 라: 5개

6 도형에서 찾을 수 있는 크고 작은 각은 모두 몇 개인지 구해 보세요.

❖ 작은 각 1개짜리: ①, ②, ③ ➡ 3개   (6개)
작은 각 2개짜리: ①+②, ②+③ ➡ 2개   3+2+1=6(개)
작은 각 3개짜리: ①+②+③ ➡ 1개

2. 평면도형 · 37

7 점 ㄴ을 꼭짓점으로 하는 직각을 그리려면 점 ㄴ과 어느 점을 이어야 하는지 번호를 써 보세요.

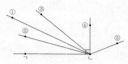

(④)

❖ 점 ㄴ을 점 ④와 이으면 점 ㄴ을 꼭짓점으로 하는 직각을 그릴 수 있습니다.

8 직사각형 모양의 종이를 점선을 따라 자르면 직사각형과 직각삼각형의 수의 차는 몇 개 인지 구해 보세요.

(2개)

❖ 직각삼각형: ①, ②, ③, ④, ⑨, ⑩ ➡ 6개
직사각형: ⑤, ⑥, ⑦, ⑧ ➡ 4개
➡ 6-4=2(개)

9 [보기]는 각의 개수를 이용하여 467을 나타낸 것입니다. 오른쪽 그림은 어떤 수를 나타낸 것인지 써 보세요.

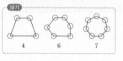 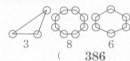

(386)

❖ 각은 한 점에서 그은 두 반직선으로 이루어진 도형입니다.

38 · Jump 3-1

10 길이가 30 cm인 철사를 겹치지 않게 사용하여 다음과 같은 정사각형 1개를 만들었습니다. 남은 철사의 길이는 몇 cm인지 구해 보세요.

(10 cm)

❖ (사용한 철사의 길이)=5+5+5+5=20 (cm)
➡ (남은 철사의 길이)=30-20=10 (cm)

11 도형에서 찾을 수 있는 크고 작은 직사각형은 모두 몇 개인지 구해 보세요.

(5개)

❖ 작은 정사각형 1개짜리: ①, ②, ③ ➡ 3개
작은 정사각형 2개짜리: ①+②, ②+③ ➡ 2개
➡ 3+2=5(개)

12 도형에서 찾을 수 있는 크고 작은 정사각형은 모두 몇 개인지 구해 보세요.

(14개)

❖ 작은 정사각형 1개짜리: ①, ②, ③, ④, ⑤, ⑥, ⑦, ⑧, ⑨ ➡ 9개
작은 정사각형 4개짜리: ①+②+④+⑤, ②+③+⑤+⑥, ④+⑤+⑦+⑧, ⑤+⑥+⑧+⑨ ➡ 4개
작은 정사각형 9개짜리: ①+②+③+④+⑤+⑥+⑦+⑧+⑨ ➡ 1개
➡ 9+4+1=14(개)

2. 평면도형 · 39

---

13 크기가 같은 정사각형 3개를 겹치지 않게 이어 붙여 만든 직사각형입니다. 만든 직사각형의 네 변의 길이의 합은 몇 cm인지 구해 보세요.

(48 cm)

❖ 정사각형은 네 변의 길이가 모두 같으므로 6 cm인 변이 8개입니다.
➡ (직사각형의 네 변의 길이의 합)=6+6+6+6+6+6+6+6=48 (cm)

14 크기가 다른 두 정사각형을 겹치지 않게 이어 붙여서 만든 도형입니다. ㉠의 길이는 몇 cm인지 구해 보세요.

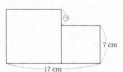

(3 cm)

❖ (큰 정사각형의 한 변의 길이)=17-7=10 (cm)
이고, 작은 정사각형의 한 변의 길이는 7 cm입니다.
➡ (㉠의 길이)=10-7=3 (cm)

15 윤기는 검은색 바둑돌을, 석진이는 흰색 바둑돌을 놓았습니다. 각 바둑돌과 빨간색 선분의 양 끝을 연결하여 직각삼각형을 더 많이 만들 수 있는 사람이 이긴다고 할 때, 누가 이기게 되는지 써 보세요.

(석진)

40 · Jump 3-1

❖ 윤기: 직각삼각형 2개를 만들 수 있습니다.
석진: 직각삼각형 3개를 만들 수 있습니다.
➡ 석진이가 이기게 됩니다.

[GO! 매쓰]
여기까지 2단원 내용입니다.
다음부터는 3단원 내용이 시작합니다.

GO! 매쓰 Jump 정답

유형 ① 길찾기　창의·융합

정답과 풀이 10쪽

1 로봇 청소기가 42÷7과 몫이 같은 나눗셈이 있는 방만 청소하려고 합니다. 청소할 방을 찾아 선으로 이어 보세요.

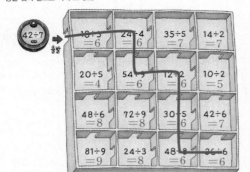

❶ 42÷7의 몫은 얼마일까요?

(**6**)

❷ 42÷7과 몫이 같은 나눗셈이 있는 방을 찾아 선으로 이어 보세요.

❖ 몫이 6인 방을 찾아 선으로 잇습니다.

42 · Jump 3-1

2 민형이는 가지고 있는 나눗셈의 몫보다 몫이 작은 나눗셈이 있는 길을 지나 초아를 만나려고 합니다. 민형이가 지나가야 할 길을 찾아 선으로 이어 보세요.

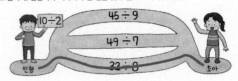

❖ 10÷2＝5이므로 몫이 5보다 작은 길을 찾습니다.
　45÷9＝5, 49÷7＝7, 32÷8＝4
　따라서 몫이 5보다 작은 길은 32÷8이 쓰여 있는 길입니다.

3 나눗셈의 몫이 1씩 커지는 곳을 선으로 이어 보면서 미로를 탈출해 보세요.

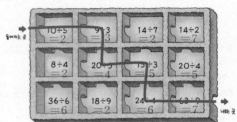

3 단원

3. 나눗셈 · 43

유형 ② 알맞은 숫자 찾기　추론

정답과 풀이 10쪽

1 다음은 몫이 한 자리 수인 (두 자리 수)÷(한 자리 수)입니다. ■가 될 수 있는 수를 모두 구해 보세요.

4■÷7

❶ 4■÷7의 몫을 곱셈구구로 구하려면 몇의 단 곱셈구구를 이용해야 할까요?

(**7의 단**) 곱셈구구

❖ 나누는 수인 7의 단 곱셈구구를 이용합니다.

❷ 7의 단 곱셈구구에서 곱의 십의 자리 숫자가 4인 곱셈식을 모두 찾아 써 보세요.

×	1	2	3	4	5	6	7	8	9
7	7	14	21	28	35	42	49	56	63

7×**6**＝4**2**,　7×**7**＝4**9**

❸ ■가 될 수 있는 수를 모두 써 보세요.

(**2, 9**)

❖ 7×6＝42 ➡ 4 **2** ÷7＝6.
　7×7＝49 ➡ 4 **9** ÷7＝7

44 · Jump 3-1

2 다음은 몫이 한 자리 수인 (두 자리 수)÷(한 자리 수)입니다. ♥가 될 수 있는 수를 모두 구해 보세요.

(1) 1♥÷3　　(**2, 5, 8**)

(2) 3♥÷8　　(**2**)

(3) 1♥÷6　　(**2, 8**)

❖ (1) 3×4＝12 ➡ 1 **2** ÷3＝4,
　　3×5＝15 ➡ 1 **5** ÷3＝5,
　　3×6＝18 ➡ 1 **8** ÷3＝6
　(2) 8×4＝32 ➡ 3 **2** ÷8＝4
　(3) 6×2＝12 ➡ 1 **2** ÷6＝2,
　　6×3＝18 ➡ 1 **8** ÷6＝3

3 다음은 몫이 한 자리 수인 (두 자리 수)÷(한 자리 수)입니다. 나눗셈의 몫이 될 수 있는 수를 모두 구해 보세요.

(1) 2●÷4　　(**5, 6, 7**)

(2) 3●÷5　　(**6, 7**)

(3) 2●÷7　　(**3, 4**)

❖ (1) 4×5＝20 ➡ 20÷4＝5, 4×6＝24 ➡ 24÷4＝6,
　　4×7＝28 ➡ 28÷4＝7
　(2) 5×6＝30 ➡ 30÷5＝6, 5×7＝35 ➡ 35÷5＝7
　(3) 7×3＝21 ➡ 21÷7＝3, 7×4＝28 ➡ 28÷7＝4

3 단원

3. 나눗셈 · 45

유형 3 　나눗셈식 만들기 　문제 해결

정답과 풀이 11쪽

1 수 카드 5장 중에서 4장을 골라 모두 한 번씩만 사용하여 다음과 같이 몫이 한 자리 수인 나눗셈식을 만들려고 합니다. 만들 수 있는 나눗셈식은 모두 몇 개인지 구해 보세요.

2　3　4　6　8

➡ □□ ÷ □ = □

❶ 위의 수 카드를 한 번씩만 사용하여 만들 수 있는 두 자리 수를 모두 써 보세요.
23, 24, 26, 28, 32, 34, 36, 38, 42, 43, 46, 48,
62, 63, 64, 68, 82, 83, 84, 86

✿ 가장 작은 두 자리 수부터 차례로 생각합니다.

❷ ❶에서 만든 두 자리 수를 나누어지는 수로 하여 만들 수 있는 나눗셈식을 모두 써 보세요. (단, 나누는 수와 몫은 나머지 수 카드를 사용합니다.)
24÷3=8, 24÷8=3, 32÷4=8, 32÷8=4

❸ 만들 수 있는 나눗셈식은 모두 몇 개일까요?
(　4개　)

2 수 카드 5장 중에서 4장을 골라 모두 한 번씩만 사용하여 다음과 같이 몫이 한 자리 수인 나눗셈식을 만들려고 합니다. 만들 수 있는 나눗셈식은 모두 몇 개인지 구해 보세요.

1　2　3　4　8 ➡ □□ ÷ □ = □
(　6개　)

✿ 만들 수 있는 두 자리 수는 12, 13, 14, 18, 21, 23, 24, 28, 31, 32, 34, 38, 41, 42, 43, 48, 81, 82, 83, 84입니다.
이 두 자리 수를 나누어지는 수로 하여 만들 수 있는 나눗셈식은 12÷3=4, 12÷4=3, 24÷3=8, 24÷8=3, 32÷4=8, 32÷8=4로 모두 6개입니다.

3 수 카드 4장 중에서 3장을 골라 모두 한 번씩만 사용하여 다음과 같이 나눗셈을 만들었습니다. 이때 몫이 가장 큰 한 자리 수인 나눗셈의 계산 결과를 구해 보세요.

2　4　7　8 ➡ □□ ÷ □
(　9　)

✿ 만들 수 있는 두 자리 수는 24, 27, 28, 42, 47, 48, 72, 74, 78, 82, 84, 87입니다.
이 두 자리 수를 나누어지는 수로 하고 나머지 한 수를 나누는 수로 하여 만들 수 있는 나눗셈식은 24÷8=3, 28÷4=7, 28÷7=4, 42÷7=6, 72÷8=9입니다.
➡ 9>7>6>4>3이므로 가장 큰 몫은 9입니다.

단원 3

 유형 4 나누는 방법에 따른 몫 알아보기 　문제 해결

정답과 풀이 11쪽

1 대화를 읽고 문제를 해결해 보세요.

윤후: 음료수 21개를 한 명에게 3개씩 주려고 해. 몇 명에게 나누어 줄 수 있을까?
은성: 음료수 21개를 3명에게 똑같이 나누어 주려고 해. 한 명에게 몇 개씩 줄 수 있을까?

❶ 윤후와 은성이가 구하려는 것을 써 보세요.

	윤후	은성
구하려는 것	⒠ 음료수를 나누어 줄 수 있는 사람 수	⒠ 한 명에게 줄 수 있는 음료수 수

❷ 문제 해결 방법을 써 보세요.

	윤후	은성
문제 해결 방법	⒠ 음료수 21개를 한 명에게 3개씩 주려고 하므로 21에서 3씩 덜어 내고, 0이 될 때까지 덜어 낸 횟수를 셉니다.	⒠ 음료수 21개를 3명에게 똑같이 나누어 주려고 하므로 21을 3으로 나눕니다.

❸ 몫은 각각 얼마일까요? 또, 몫이 나타내는 것은 무엇인지 써 보세요.

	몫	몫이 나타내는 것
윤후	7	⒠ 음료수를 7명에게 나누어 줄 수 있습니다.
은성	7	⒠ 한 명에게 음료수를 7개씩 줄 수 있습니다.

2 친구들에게 젤리 30개를 똑같이 나누어 주려고 합니다. 어떻게 나누어 주어야 할지 빈칸에 알맞게 써 보세요.

	한 명에게 6개씩 줄 때	6명에게 똑같이 나누어 줄 때
구하려는 것	젤리를 나누어 줄 수 있는 사람 수	한 명에게 줄 수 있는 젤리 수
나눗셈식	30÷6	30÷6
몫	5	5
몫이 나타내는 것	⒠ 젤리를 5명에게 나누어 줄 수 있습니다.	⒠ 한 명에게 젤리를 5개씩 줄 수 있습니다.

3 친구들에게 아이스크림 36개를 똑같이 나누어 주려고 합니다. 어떻게 나누어 주어야 할지 빈칸에 알맞게 써 보세요.

	한 명에게 9개씩 줄 때	9명에게 똑같이 나누어 줄 때
구하려는 것	아이스크림을 나누어 줄 수 있는 사람 수	한 명에게 줄 수 있는 아이스크림 수
나눗셈식	36÷9	36÷9
몫	4	4
몫이 나타내는 것	⒠ 아이스크림을 4명에게 나누어 줄 수 있습니다.	⒠ 한 명에게 아이스크림을 4개씩 줄 수 있습니다.

단원 3

유형 ⑤ 바르게 계산한 값 구하기 `추론`

1 두 친구의 대화를 읽고 바르게 계산한 값을 구해 보세요.

어떤 수를 6으로 나누어야 하는데 잘못해서 4로 나누어서 몫이 3이 되어 버렸어.

어떤 수를 □라 하고 잘못 계산한 식을 세워 봐.

이제 바른 계산을 해 봐. 고마워.

❶ 어떤 수를 □라 하고 잘못 계산한 식을 세워 보세요.

  예 ____ $□ \div 4 = 3$ ____

❷ 어떤 수를 구해 보세요. (**12**)

  ❖ $□ \div 4 = 3$에서 $4 \times 3 = □$이므로 $□ = 12$입니다.

❸ 바르게 계산한 값을 구해 보세요. (**2**)

  ❖ 바른 계산은 어떤 수를 6으로 나누는 것입니다.
  ➜ $12 \div 6 = 2$

50 · Jump 3-1

정답과 풀이 12쪽

2 어떤 수를 6으로 나누어야 할 것을 잘못하여 9로 나누었더니 몫이 4가 되었습니다. 바르게 계산한 값을 구해 보세요. (**6**)

  ❖ 어떤 수를 □라 하면 잘못 계산한 식은 $□ \div 9 = 4$입니다.
  ➜ $9 \times 4 = □$, $□ = 36$
  따라서 바르게 계산하면 $36 \div 6 = 6$입니다.

3 어떤 수에 5를 더해야 할 것을 잘못하여 5로 나누었더니 몫이 7이 되었습니다. 바르게 계산한 값을 구해 보세요. (**40**)

  ❖ 어떤 수를 □라 하면 잘못 계산한 식은 $□ \div 5 = 7$입니다.
  ➜ $5 \times 7 = □$, $□ = 35$
  따라서 바르게 계산하면 $35 + 5 = 40$입니다.

4 어떤 수에서 7을 빼야 할 것을 잘못하여 7로 나누었더니 몫이 9가 되었습니다. 바르게 계산한 값을 구해 보세요. (**56**)

  ❖ 어떤 수를 □라 하면 잘못 계산한 식은 $□ \div 7 = 9$입니다.
  ➜ $7 \times 9 = □$, $□ = 63$
  따라서 바르게 계산하면 $63 - 7 = 56$입니다.

3 단원

3. 나눗셈 · 51

유형 ⑥ 조건에 알맞은 수 구하기 `문제 해결`

1 다음 두 식을 만족하는 ■와 ▲의 차를 구해 보세요.

  ■ ÷ ▲ = 5
  ■ + ▲ = 30

❶ $■ \div ▲ = 5$에서 나누는 수 ▲가 다음과 같을 때 나누어지는 수 ■를 구해 보세요. ❖ ▲ = 4일 때 $■ \div 4 = 5$, $4 \times 5 = ■$, $■ = 20$입니다.

▲	1	2	3	4	5	6	7	8	9	……
■	5	10	15	**20**	**25**	**30**	**35**	**40**	**45**	……

  ▲ = 5일 때 $■ \div 5 = 5$, $5 \times 5 = ■$, $■ = 25$입니다.
  ▲ = 6일 때 $■ \div 6 = 5$, $6 \times 5 = ■$, $■ = 30$입니다.
  ▲ = 7일 때 $■ \div 7 = 5$, $7 \times 5 = ■$, $■ = 35$입니다.
  ▲ = 8일 때 $■ \div 8 = 5$, $8 \times 5 = ■$, $■ = 40$입니다.
  ▲ = 9일 때 $■ \div 9 = 5$, $9 \times 5 = ■$, $■ = 45$입니다.

❷ ❶의 표를 보고 $■ + ▲ = 30$이 되는 경우로 ■와 ▲를 각각 알아보세요.

  ■ (**25**), ▲ (**5**)

  ❖ ■ = 25, ▲ = 5일 때, $■ + ▲ = 25 + 5 = 30$입니다.

❸ ❷에서 찾은 ■와 ▲의 차를 구해 보세요. (**20**)

  ❖ $25 - 5 = 20$

52 · Jump 3-1

정답과 풀이 12쪽

2 두 수가 있습니다. 큰 수를 작은 수로 나누면 몫이 4이고, 두 수의 합은 20입니다. 이 두 수를 구해 보세요. (**16** , **4**)

  ❖ 몫이 4인 나눗셈식은 $4 \div 1 = 4$, $8 \div 2 = 4$, $12 \div 3 = 4$, $16 \div 4 = 4$, $20 \div 5 = 4$, $24 \div 6 = 4$, $28 \div 7 = 4$, $32 \div 8 = 4$, $36 \div 9 = 4 \cdots$ 입니다.
  이 중에서 나누어지는 수와 나누는 수의 합이 20이 되는 경우는 $16 + 4 = 20$이므로 조건에 알맞은 두 수는 16과 4입니다.

3 다음 두 식을 만족하는 ■와 ●를 각각 구해 보세요.

  ■ ÷ ● = 3
  ■ - ● = 12

  ■ (**18**), ● (**6**)

  ❖ 몫이 3인 나눗셈식은 $3 \div 1 = 3$, $6 \div 2 = 3$, $9 \div 3 = 3$, $12 \div 4 = 3$, $15 \div 5 = 3$, $18 \div 6 = 3$, $21 \div 7 = 3$, $24 \div 8 = 3$, $27 \div 9 = 3 \cdots$ 입니다.
  이 중에서 나누어지는 수와 나누는 수의 차가 12가 되는 경우는 $18 - 6 = 12$이므로 조건에 알맞은 두 수는 18과 6입니다.

4 두 수가 있습니다. 큰 수를 작은 수로 나누면 몫이 6이고, 두 수의 차는 20입니다. 이 두 수의 합을 구해 보세요. (**28**)

  ❖ 몫이 6인 나눗셈식은 $6 \div 1 = 6$, $12 \div 2 = 6$, $18 \div 3 = 6$, $24 \div 4 = 6$, $30 \div 5 = 6$, $36 \div 6 = 6$, $42 \div 7 = 6$, $48 \div 8 = 6$, $54 \div 9 = 6 \cdots$ 입니다.
  이 중에서 나누어지는 수와 나누는 수의 차가 20이 되는 경우는 $24 - 4 = 20$이므로 조건에 알맞은 두 수는 24와 4입니다.
  따라서 두 수의 합은 $24 + 4 = 28$입니다.

3 단원

3. 나눗셈 · 53

사고력 종합 평가

정답과 풀이 13쪽

1 □ 안에 알맞은 수를 구해 보세요.

(1)
| 35÷□=5 |

(7)

(2)
| 42÷□=7 |

(6)

❖ (1) 35÷□=5 ➡ 5×□=35, □=7
　 (2) 42÷□=7 ➡ 7×□=42, □=6

2 다음은 몫이 한 자리 수인 (두 자리 수)÷(한 자리 수)입니다. 나눗셈의 몫이 될 수 있는 수를 모두 구해 보세요.

(1)
| 3▨÷4 |

(8, 9)

(2)
| 2▨÷3 |

(7, 8, 9)

❖ (1) 4×8=32 ➡ 32÷4=8, 4×9=36 ➡ 36÷4=9
　 (2) 3×7=21 ➡ 21÷3=7, 3×8=24 ➡ 24÷3=8,
　　　3×9=27 ➡ 27÷3=9

3 어떤 수를 4로 나누어야 할 것을 잘못하여 8로 나누었더니 몫이 3이 되었습니다. 바르게 계산한 값을 구해 보세요.

(6)

❖ 어떤 수를 □라 하면 잘못 계산한 식은 □÷8=3입니다.
　➡ 8×3=□, □=24
　따라서 바르게 계산하면 24÷4=6입니다.

4 친구들에게 물고기 48마리를 똑같이 나누어 주려고 합니다. 물음에 답하세요.

(1) 한 명에게 물고기를 8마리씩 주면 몇 명에게 나누어 줄 수 있는지 나눗셈식을 쓰고 답을 구해 보세요.

식 _____48÷8=6_____

답 ___6명___

❖ 몫이 나타내는 것: 물고기를 6명에게 나누어 줄 수 있습니다.

(2) 8명에게 똑같이 나누어 주면 한 명에게 줄 수 있는 물고기는 몇 마리인지 나눗셈식을 쓰고 답을 구해 보세요.

식 _____48÷8=6_____

답 ___6마리___

❖ 몫이 나타내는 것: 한 명에게 물고기를 6마리씩 줄 수 있습니다.

5 다음 두 식을 만족하는 ♥와 ★을 각각 구해 보세요.

| ♥÷★=8 |
| ♥－★=42 |

♥ (48), ★ (6)

❖ 몫이 8인 나눗셈식은 8÷1=8, 16÷2=8, 24÷3=8,
　32÷4=8, 40÷5=8, 48÷6=8, 56÷7=8, 64÷8=8,
　72÷9=8……입니다.
　이 중에서 나누어지는 수와 나누는 수의 차가 42가 되는
　경우는 48－6=42이므로 ♥=48, ★=6입니다.

3. 나눗셈 · 55

 사고력 종합 평가

정답과 풀이 13쪽

6 나눗셈의 몫이 1씩 커지는 길을 따라가 보세요.

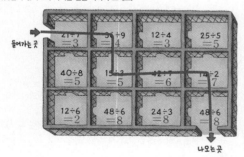

[7~8] 주어진 세 수를 이용하여 곱셈식과 나눗셈식을 각각 2개씩 만들어 보세요.

7

| 32 |
| 4 | 8 |

4 × 8 = 32
8 × 4 = 32
32 ÷ 4 = 8
32 ÷ 8 = 4

8

| 42 |
| 6 | 7 |

6 × 7 = 42
7 × 6 = 42
42 ÷ 6 = 7
42 ÷ 7 = 6

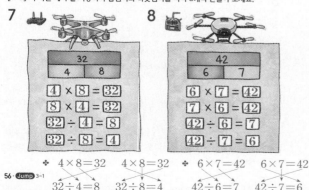

❖ 4×8=32　　4×8=32
　32÷4=8　　32÷8=4

　8×4=32　　8×4=32
　32÷8=4　　32÷4=8

❖ 6×7=42　　6×7=42
　42÷6=7　　42÷7=6

　7×6=42　　7×6=42
　42÷7=6　　42÷6=7

❖ 가로 열쇠 ➡ 다: □÷7=6, 7×6=□, □=42
　　　　　　　 야: □÷4=7, 4×7=□, □=28
　　　　　　　 바: □÷8=7, 8×7=□, □=56

9 □ 안에 알맞은 수를 써넣고, 가로세로 숫자 퍼즐을 완성해 보세요.

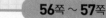

가로 열쇠
가: 16 ÷2=8
다: 42 ÷7=6
야: 28 ÷4=7
바: 56 ÷8=7

세로 열쇠
나: 64 ÷8=8
라: 27 ÷3=9
마: 45 ÷5=9
샤: 63 ÷9=7
자: 81 ÷9=9

세로 열쇠 ➡ 라: □÷3=9, 3×9=□, □=27
　　　　　　　 마: □÷5=9, 5×9=□, □=45
　　　　　　　 샤: □÷9=7, 9×7=□, □=63
　　　　　　　 자: □÷9=9, 9×9=□, □=81

10 아버지의 유언을 보고 말이 모두 24마리일 때 숲에 풀어 주어야 할 말은 몇 마리인지 구해 보세요.

(6마리)

❖ 첫째: 24÷3=8(마리), 둘째: 24÷4=6(마리),
　셋째: 24÷6=4(마리)
　➡ (남은 말의 수)=24－8－6－4=6(마리)

3. 나눗셈 · 57

정답과 풀이 · **13**

사고력 종합 평가

정답과 풀이 14쪽

11 다음에서 같은 모양은 같은 수를 나타냅니다. ■에 알맞은 수를 구해 보세요.

$$40-▲-▲-▲-▲-▲=0$$
$$▲÷2=■$$

(**4**)

❖ 40에서 ▲를 5번 빼서 0이 되었으므로 나눗셈식으로 나타내면
$40÷▲=5$입니다. ➡ $▲×5=40$, $▲=8$
▲가 8이므로 $▲÷2=■$에서 $8÷2=■$, $■=4$입니다.

12 수 카드 4장 중에서 3장을 골라 모두 한 번씩만 사용하여 다음과 같이 나눗셈을 만들었습니다. 이때 몫이 가장 작은 한 자리 수인 나눗셈의 계산 결과를 구해 보세요.

 ➡ ☐☐ ÷ ☐

(**5**)

❖ 만들 수 있는 두 자리 수는 40, 45, 49, 50, 54, 59, 90, 94, 95 이고, 이 두 자리 수를 나누어지는 수로 하고 나머지 한 수를 나누는 수로 하여 만들 수 있는 나눗셈식은 $40÷5=8$, $45÷9=5$, $54÷9=6$입니다.
$5<6<8$이므로 가장 작은 몫은 5입니다.

13 두 수가 있습니다. 큰 수를 작은 수로 나누면 몫이 7이고, 두 수의 합은 16입니다. 이 두 수의 차를 구해 보세요.

(**12**)

❖ 몫이 7인 나눗셈식은 $7÷1=7$, $14÷2=7$, $21÷3=7$, $28÷4=7$, $35÷5=7$, $42÷6=7$, $49÷7=7$, $56÷8=7$, $63÷9=7$······입니다.
이 중에서 나누어지는 수와 나누는 수의 합이 16이 되는 경우는 $14+2=16$이므로 조건에 알맞은 두 수는 14와 2입니다.
따라서 두 수의 차는 $14-2=12$입니다.

58 · Jump 3-1

[GO! 매쓰]
여기까지 3단원 내용입니다.
다음부터는 4단원 내용이
시작합니다.

정답과 풀이 14쪽

유형 ① 반복되는 곱셈 〔추론〕

1 다음을 보고 3을 26번 곱했을 때 곱의 일의 자리 숫자를 구해 보세요.

> 3
> $3×3=$ 9 ← 3을 2번 곱함.
> $3×3×3=$ 27 ← 3을 3번 곱함.
> $3×3×3×3=$ 81 ← 3을 4번 곱함.
> $3×3×3×3×3=$ 243 ← 3을 5번 곱함.

❶ ☐ 안에 알맞은 수를 써넣으세요.

❷ 3의 곱의 일의 자리 숫자의 규칙을 찾아보세요.
일의 자리 숫자 3, 9 , 7 , 1 이/가 반복되는 규칙이 있습니다.

❸ ☐ 안에 알맞은 수를 써넣으세요.

> 26은 $4×6$에 2 를 더한 수이므로 3을 26번 곱했을 때 곱의 일의 자리 숫자는 3을 2 번 곱했을 때 곱의 일의 자리 숫자와 같습니다.

❹ 3을 26번 곱했을 때 곱의 일의 자리 숫자는 무엇일까요?

(**9**)

60 · Jump 3-1 ❖ 3을 26번 곱했을 때 곱의 일의 자리 숫자는 3을 2번 곱했을 때 곱의 일의 자리 숫자와 같으므로 $3×3=9$입니다.

2 ☐ 안에 알맞은 수를 써넣고 7을 35번 곱했을 때 곱의 일의 자리 숫자를 구해 보세요.

> 7
> $7×7=49$
> $7×7×7=$ 343
> $7×7×7×7=2401$
> $7×7×7×7×7=16807$

(**3**)

❖ 곱의 일의 자리 숫자는 7, 9, 3, 1, 7로 7, 9, 3, 1의 4개의 숫자가 반복되는 규칙이 있습니다.
35는 $4×8$에 3을 더한 수이므로 7을 35번 곱했을 때 곱의 일의 자리 숫자는 7을 3번 곱했을 때 곱의 일의 자리 숫자와 같습니다.
➡ 3

4 단원

3 ☐ 안에 알맞은 수를 써넣고 9를 15번 곱했을 때 곱의 일의 자리 숫자를 구해 보세요.

> 9
> $9×9=$ 81
> $9×9×9=$ 729
> $9×9×9×9=6561$

(**9**)

❖ 곱의 일의 자리 숫자는 9, 1, 9, 1로 9와 1이 반복되는 규칙이 있습니다.
15는 $2×7$에 1을 더한 수이므로 9를 15번 곱했을 때 곱의 일의 자리 숫자는 9를 1번 곱했을 때 곱의 일의 자리 숫자와 같습니다.
➡ 9

4. 곱셈 · **61**

유형 ② 걸리는 시간 구하기 〔문제 해결〕

정답과 풀이 15쪽

1 굵기가 일정한 통나무를 9도막으로 자르려고 합니다. 한 번 자르는 데 15분이 걸리고 한 번 자른 후에는 2분씩 쉰 다음 다시 자릅니다. 이 통나무를 모두 자르는 데 걸리는 시간은 몇 분인지 구해 보세요.

❶ 통나무를 몇 번 잘라야 할까요?

(**8번**)

✥ 9도막이 되려면 8번 잘라야 합니다.

❷ 통나무를 자르기만 하는 데 걸리는 시간은 모두 몇 분일까요?

(**120분**)

✥ 통나무를 한 번 자를 때 15분이 걸리고 8번 잘라야 하므로 자르기만 하는 데 $15 \times 8 = 120$(분) 걸립니다.

❸ 통나무를 9도막으로 자르는 데 쉬는 시간은 모두 몇 분일까요?

(**14분**)

✥ 8번 잘라야 하고 마지막 자른 후에는 쉬지 않으므로 쉬는 시간은 2분씩 7번입니다. ➡ $2 \times 7 = 14$(분)

❹ 통나무를 9도막으로 자르는 데 걸리는 시간은 모두 몇 분일까요?

(**134분**)

✥ (자르기만 하는 데 걸리는 시간)＋(쉬는 시간)
＝120분＋14분＝134분

2 길이가 72 m인 산책길의 양쪽에 처음부터 끝까지 4 m 간격으로 꽃을 심으려고 합니다. 꽃 한 송이를 심는 데 3분이 걸린다면 꽃을 모두 심는 데 걸리는 시간은 몇 분인지 구해 보세요.

(1) 산책길의 한쪽에 심을 꽃은 몇 송이일까요?

(**19송이**)

(2) 산책길의 양쪽에 심을 꽃은 몇 송이일까요?

(**38송이**)

(3) 산책길의 양쪽에 꽃을 모두 심는 데 걸리는 시간은 몇 분일까요?

(**114분**)

✥ (1) (간격의 수)＝$72 \div 4 = 18$(군데)
(산책길의 한쪽에 심을 꽃의 수)＝$18 + 1 = 19$(송이)
(2) (산책길의 양쪽에 심을 꽃의 수)＝$19 \times 2 = 38$(송이)
(3) (걸리는 시간)＝$38 \times 3 = 114$(분)

3 굵기가 일정한 통나무를 6도막으로 자르려고 합니다. 한 번 자르는 데 13분이 걸리고 한 번 자른 후에는 3분씩 쉰 다음 다시 자릅니다. 통나무를 모두 자르는 데 걸리는 시간은 몇 분인지 구해 보세요.

✥ 6도막이 되려면 5번 잘라야 합니다. (**77분**)
통나무를 한 번 자를 때 13분이 걸리고 5번 잘라야 하므로 자르기만 하는 데 $13 \times 5 = 65$(분) 걸립니다.
5번 잘라야 하고 마지막 자른 후에는 쉬지 않으므로 쉬는 시간은 3분씩 4번입니다. ➡ $3 \times 4 = 12$(분)
따라서 6도막으로 자르는 데 걸리는 시간은 65분＋12분＝77분입니다.

4 단원

유형 ③ 수 카드로 곱셈식 만들기 〔추론〕

정답과 풀이 15쪽

1 보기의 수 카드를 한 번씩만 사용하여 오른쪽 식을 만족하도록 완성해 보세요.

보기
2 5 6

$$\begin{array}{r} ⓐ\,8 \\ \times\ \ Ⓑ \\ \hline 1\ 1\ Ⓒ \end{array}$$

❶ Ⓒ에 알맞은 숫자를 구해 보세요.

(**6**)

✥ ⓐ8×Ⓑ의 곱이 11Ⓒ이면 십의 자리 계산에서 ⓐ×Ⓑ은 2×5 또는 5×2입니다.
ⓐ과 Ⓑ에 들어갈 수 없는 숫자인 6은 Ⓒ에 들어가야 합니다.

❷ ⓐ과 Ⓑ에 알맞은 숫자를 구해 보세요.

ⓐ (**5**), Ⓑ (**2**)

✥ $28 \times 5 = 140(\times)$, $58 \times 2 = 116(\bigcirc)$이므로 ⓐ=5, Ⓑ=2입니다.

❸ 곱셈식을 완성해 보세요.

2 보기의 수 카드를 한 번씩만 사용하여 오른쪽 식을 만족하도록 □ 안에 알맞은 숫자를 써넣으세요.

보기
2 3 7

✥
$$\begin{array}{r} ⓐ\ 4 \\ \times\ \ Ⓑ \\ \hline 2\ 2\ Ⓒ \end{array}$$

ⓐ4×Ⓑ의 곱이 22Ⓒ이면 십의 자리 계산에서 ⓐ×Ⓑ은 3×7 또는 7×3입니다.
ⓐ과 Ⓑ에 들어갈 수 없는 숫자인 2는 Ⓒ에 들어가야 합니다.
➡ $34 \times 7 = 238(\times)$, $74 \times 3 = 222(\bigcirc)$이므로 ⓐ=7, Ⓑ=3입니다.

3 보기의 수 카드를 한 번씩만 사용하여 오른쪽 식을 만족하도록 □ 안에 알맞은 숫자를 써넣으세요.

보기
3 4 8

✥
$$\begin{array}{r} 5\ ⓐ \\ \times\ \ Ⓑ \\ \hline 1\ 7\ Ⓒ \end{array}$$

5ⓐ×Ⓑ의 곱이 17Ⓒ이면 십의 자리 계산에서 5×Ⓑ은 십몇이 되어야 합니다. ➡ Ⓑ=3
5ⓐ×3에서 5×3=15이므로 ⓐ×3은 2Ⓒ이 되어야 합니다. ➡ ⓐ=8
따라서 $58 \times 3 = 174$이므로 Ⓒ=4입니다.

4 단원

유형 ④ 전체 길이 구하기 ᐧ문제 해결

1 한 장의 길이가 76 cm인 색 테이프 7장을 그림과 같이 11 cm씩 겹쳐 이어 붙였습니다. 이어 붙인 색 테이프의 전체 길이는 몇 cm인지 구해 보세요.

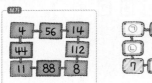

① 색 테이프 7장의 길이는 모두 몇 cm일까요?

(**532 cm**)

❖ 76×7=532 (cm)

② 겹쳐진 부분은 모두 몇 군데일까요?

(**6군데**)

❖ (겹쳐진 부분)=7-1=6(군데)

③ 겹쳐진 부분의 길이는 모두 몇 cm일까요?

(**66 cm**)

❖ 11×6=66 (cm)

④ 이어 붙인 색 테이프의 전체 길이는 몇 cm인지 구해 보세요.

(**466 cm**)

❖ (이어 붙인 색 테이프의 전체 길이)=532-66=466 (cm)

---

2 한 장의 길이가 20 cm인 색 테이프 8장을 6 cm씩 겹쳐 이어 붙였습니다. 이어 붙인 색 테이프의 전체 길이는 몇 cm인지 구해 보세요.

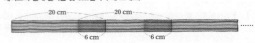

(**118 cm**)

❖ (색 테이프 8장의 길이의 합)=20×8=160 (cm)이고 (겹쳐진 부분)=8-1=7(군데)입니다.
➜ (겹쳐진 부분의 길이)=6×7=42 (cm)
➜ (이어 붙인 색 테이프의 전체 길이)=160-42=118 (cm)

3 한 장의 길이가 85 cm인 색 테이프 3장을 13 cm씩 겹쳐 이어 붙였습니다. 이어 붙인 색 테이프의 전체 길이는 몇 cm인지 구해 보세요.

(**229 cm**)

❖ (색 테이프 3장의 길이의 합)=85×3=255 (cm)이고 (겹쳐진 부분)=3-1=2(군데)입니다.
➜ (겹쳐진 부분의 길이)=13×2=26 (cm)
➜ (이어 붙인 색 테이프의 전체 길이)=255-26=229 (cm)

4 단원

유형 ⑤ 규칙에 따라 알맞은 수 구하기 ᐧ창의 · 융합

1 보기 와 같은 규칙으로 빈 곳에 알맞은 수를 써넣으세요.

① 규칙을 알아보고 □ 안에 알맞은 말을 써넣으세요.

가로줄과 세로줄의 가운데 칸에 있는 수는 양쪽 끝에 있는 두 수의 **곱**입니다.

❖ 4×14=56, 4×11=44, 14×8=112, 11×8=88

② 빈 곳에 알맞은 수를 써넣으세요.

[27]-[54]-[2]
[189]   [64]
[7]-[224]-[32]

❖ 27×2=54 ➜ ㉠=27, 27×7=189 ➜ ㉡=189
32×2=64 ➜ ㉢=32, 32×7=224 ➜ ㉣=224

---

2 보기 와 같은 규칙으로 빈 곳에 알맞은 수를 써넣으세요.

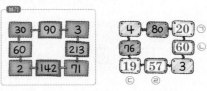

❖ 30×3=90, 30×2=60, 71×3=213, 71×2=142
이므로 가로줄과 세로줄의 가운데 칸에 있는 수는 양쪽 끝에 있는 두 수의 곱입니다.
20×4=80 ➜ ㉠=20, 20×3=60 ➜ ㉡=60,
19×4=76 ➜ ㉢=19, 19×3=57 ➜ ㉣=57

3 보기 와 같은 규칙으로 빈 곳에 알맞은 수를 써넣으세요.

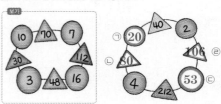

❖ △ 안의 수는 양옆에 있는 ○ 안의 두 수의 곱입니다.
10×7=70, 16×7=112, 10×3=30, 16×3=48
20×2=40 ➜ ㉠=20, 20×4=80 ➜ ㉡=80,
53×4=212 ➜ ㉢=53, 53×2=106 ➜ ㉣=106

4 단원

유형 **6** 무늬 만들기 창의·융합

정답과 풀이 17쪽

1 혜미는 모양 조각을 사용하여 가방의 한 쪽 면을 다음과 같은 무늬로 꾸몄습니다. 가방 3개를 꾸미는 데 필요한 모양 조각은 모두 몇 개인지 구해 보세요.

❶ 혜미가 사용한 모양 조각에 모두 ○표 하세요.

❷ 가방 1개를 꾸미는 데 사용한 모양 조각은 모두 몇 개일까요?
(**36개**)

❖ ◺ 모양: 24개, ▱ 모양: 12개
➡ $24+12=36$(개)

❸ 가방 3개를 꾸미는 데 필요한 모양 조각은 모두 몇 개일까요?
(**108개**)

❖ $36×3=108$(개)

70 · Jump 3-1

2 윤주가 2가지의 모양 조각을 사용하여 만든 무늬입니다. 이 무늬를 5개 만들었다면 사용한 모양 조각은 모두 몇 개인지 구해 보세요.

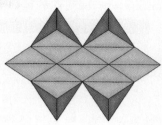

(**110개**)

❖ 무늬 한 개를 만드는 데 사용한 모양 조각은 22개입니다.
따라서 무늬 5개를 만드는 데 사용한 모양 조각은 모두
$22×5=110$(개)입니다.

3 현지는 모양 조각을 사용하여 다음과 같이 팔찌를 만들었습니다. 이 팔찌를 8개 만들었다면 사용한 모양 조각은 모두 몇 개인지 구해 보세요.

 ➡

(**112개**)

❖ 팔찌 한 개를 만드는 데 사용한 모양 조각은 14개입니다.
따라서 팔찌 8개를 만드는 데 사용한 모양 조각은 모두
$14×8=112$(개)입니다.

4 단원

4. 곱셈 · 71

사고력 종합 평가

정답과 풀이 17쪽

1 보미는 다음 3가지 모양 조각을 각각 42개씩 사용하여 무늬를 만들었습니다. 사용한 모양 조각은 모두 몇 개인지 구해 보세요.

(**126개**)

❖ 모양 조각은 3가지이고 사용한 모양 조각은 각각 42개씩이므로
$42×3=126$(개)입니다.

2 보기 를 보고 4를 40번 곱했을 때 곱의 일의 자리 숫자는 무엇인지 구해 보세요.

```
보기
4
4×4=16
4×4×4=64
4×4×4×4=256
```

❖ 곱의 일의 자리 숫자는 4, 6, 4, 6으로   (**6**)
4와 6이 반복되는 규칙입니다.
홀수 번 곱했을 때 곱의 일의 자리 숫자는 4이고, 짝수 번 곱했을 때 곱의 일의 자리 숫자는 6이므로 4를 40번 곱했을 때 곱의 일의 자리 숫자는 6입니다.

3 다음 그림과 같은 벽시계가 있습니다. 4월 1일 오전 8시부터 4월 10일 오전 8시까지 시계의 긴바늘은 몇 바퀴 도는지 구해 보세요.

(**216바퀴**)

❖ 시계의 긴바늘은 1시간에 1바퀴씩 돌므로 하루에 24바퀴를 돕니다.

72 · Jump 3-1

4월 1일 오전 8시부터 4월 10일 오전 8시까지는 9일입니다.
➡ $24×9=216$(바퀴)

4 농장에 오리 67마리와 돼지 34마리가 있습니다. 농장에 있는 동물의 다리는 모두 몇 개인지 구해 보세요.

(**270개**)

❖ (오리의 다리 수)$=67×2=134$(개)
(돼지의 다리 수)$=34×4=136$(개)
➡ $134+136=270$(개)

5 보기 의 ☐ 안에 알맞은 수를 써넣고, 2를 29번 곱했을 때 곱의 일의 자리 숫자는 무엇인지 구해 보세요.

```
보기
2
2×2=4
2×2×2=8
2×2×2×2=16
2×2×2×2×2=32
```

(**2**)

❖ $2×2×2×2=8×2=16$, $2×2×2×2×2=16×2=32$
곱의 일의 자리 숫자는 2, 4, 8, 6, 2로 2, 4, 8, 6의 4개의 숫자가 반복되는 규칙이 있습니다.
29는 $4×7$에 1을 더한 수이므로 2를 29번 곱했을 때 곱의 일의 자리 숫자는 2를 1번 곱했을 때 곱의 일의 자리 숫자와 같은 2입니다.

6 어떤 수에 7을 곱해야 할 것을 잘못하여 7을 더했더니 82가 되었습니다. 바르게 계산한 값을 구해 보세요.

(**525**)

❖ 어떤 수를 ☐라 하면 잘못 계산한 식은 ☐$+7=82$이므로
☐$=82-7=75$입니다.
따라서 바르게 계산한 값은 $75×7=525$입니다.

4 단원

4. 곱셈 · 73

정답과 풀이 · **17**

GO! 매쓰 Jump 정답

사고력 총합 평가

7 굵기가 일정한 통나무를 한 번 자르는 데 16분이 걸립니다. 통나무를 9도막으로 자르는 데 걸리는 시간은 몇 분인지 구해 보세요.(단, 쉬지 않고 통나무를 자릅니다.)

(**128분**)

✤ 9도막이 되려면 8번 잘라야 합니다.
(걸리는 시간)$=16 \times 8 = 128$(분)

8 1부터 9까지의 수 중 □ 안에 들어갈 수 있는 가장 작은 수를 구해 보세요.

$$200 < 48 \times \square$$

(**5**)

✤ $48 \times 4 = 192$, $48 \times 5 = 240 \cdots\cdots$이므로 □ 안에 들어갈 수 있는 5, 6, 7, 8, 9입니다. 이 중에서 가장 작은 수는 5입니다.

9 길이가 45 m인 도로의 양쪽에 처음부터 끝까지 5 m 간격으로 가로등을 설치하려고 합니다. 필요한 가로등은 모두 몇 개인지 구해 보세요.(단, 가로등의 굵기는 생각하지 않습니다.)

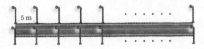

(**20개**)

✤ (간격의 수)$=45 \div 5 = 9$(군데),
(도로의 한쪽에 설치할 가로등의 수)$=9+1=10$(개)
➜ (도로의 양쪽에 설치할 가로등의 수)$=10 \times 2 = 20$(개)

10 정사각형 모양의 땅에 기둥을 세우려고 합니다. 한 변의 처음부터 끝까지 같은 간격으로 기둥을 42개씩 세운다면 기둥은 모두 몇 개 필요한지 구해 보세요.

(**164개**)

✤ $42 \times 4 = 168$(개)
➜ 4개가 겹치므로 기둥은 모두 $168 - 4 = 164$(개) 필요합니다.

11 한 장의 길이가 36 cm인 색 테이프 5장을 5 cm씩 겹쳐 이어 붙였습니다. 이 색 테이프의 전체 길이는 몇 cm인지 구해 보세요.

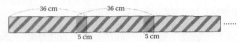

(**160 cm**)

✤ 색 테이프 5장의 길이의 합은 $36 \times 5 = 180$ (cm)입니다.
5 cm씩 이어 붙인 부분이 4군데이므로 이어 붙인 부분의 길이의 합은 $5 \times 4 = 20$ (cm)입니다.
➜ (이어 붙인 색 테이프의 전체 길이)$=180 - 20 = 160$ (cm)

12 다음 수 카드를 한 번씩만 사용하여 만들 수 있는 가장 큰 두 자리 수와 가장 작은 한 자리 수의 곱을 구해 보세요.

(**258**)

✤ $8 > 6 > 5 > 3$이므로 만들 수 있는 가장 큰 두 자리 수는 86이고, 가장 작은 한 자리 수는 3입니다.
➜ $86 \times 3 = 258$

4단원

사고력 총합 평가

13 길이가 140 cm인 빨간색 테이프 1장과 길이가 28 cm인 파란색 테이프 6장이 있습니다. 파란색 테이프 6장을 8 cm씩 겹치게 이어 붙였습니다. 빨간색 테이프와 이어 붙인 파란색 테이프 중 길이가 더 긴 색 테이프는 무슨 색깔인지 구해 보세요.

(**빨간색**)

✤ (파란색 테이프 6장의 길이)$=28 \times 6 = 168$ (cm),
(겹쳐진 부분의 길이의 합)$=8 \times 5 = 40$ (cm)
(이어 붙인 파란색 테이프의 전체 길이)$=168 - 40 = 128$ (cm)
➜ $140 > 128$이므로 빨간색 테이프가 더 깁니다.

14 규칙에 따라 수를 늘어놓은 것입니다. □ 안에 알맞은 수의 합은 얼마인지 구해 보세요.

| 1 | 2 | 4 | 8 | 16 | □ | 64 | □ |

(**160**)

✤ $1 \times 2 = 2$, $2 \times 2 = 4$, $4 \times 2 = 8$, $8 \times 2 = 16$이므로 바로 왼쪽의 수에 2를 곱하는 규칙입니다.
➜ $16 \times 2 = 32$, $64 \times 2 = 128$이므로 $32 + 128 = 160$입니다.

15 다음 조건을 모두 만족하는 두 자리 수를 구해 보세요.

조건
· 일의 자리 숫자는 4입니다.
· 이 수에 6을 곱하면 504가 됩니다.

(**84**)

✤ 일의 자리 숫자가 4인 두 자리 수를 □4라 하면 □4 $\times 6 = 504$입니다.
일의 자리 계산에서 $4 \times 6 = 24$이므로 십의 자리 계산에서
□$\times 6$에 2를 더한 수가 50이 되어야 하므로 □$\times 6 = 48$, □$=8$입니다.
따라서 조건을 모두 만족하는 두 자리 수는 84입니다.

[GO! 매쓰]
여기까지 4단원 내용입니다.
다음부터는 5단원 내용이
시작합니다.

유형 ① 단위가 다른 시간 비교하기 〔문제 해결〕

정답과 풀이 19쪽

1 윤아, 호영, 수찬, 민채가 철봉에 오래 매달리기를 한 시간입니다. 철봉에 오래 매달린 사람부터 차례로 이름을 써 보세요.

윤아	호영	수찬	민채
150초	2분 20초	2분 35초	162초

❶ 호영이가 철봉에 매달린 시간은 몇 초일까요?

(**140초**)

❖ 2분 20초＝120초＋20초＝140초

❷ 수찬이가 철봉에 매달린 시간은 몇 초일까요?

(**155초**)

❖ 2분 35초＝120초＋35초＝155초

❸ 철봉에 오래 매달린 사람부터 차례로 이름을 써 보세요.

(**민채, 수찬, 윤아, 호영**)

❖ 162＞155＞150＞140이므로 철봉에 오래 매달린 사람부터
차례로 이름을 쓰면 민채, 수찬, 윤아, 호영입니다.

78 · Jump 3-1

2 세수하기와 음악 듣기 중 시간이 더 오래 걸린 일은 무엇인지 써 보세요.

세수하기	음악 듣기
430초	7분 40초

(**음악 듣기**)

❖ 7분 40초＝420초＋40초＝460초
430＜460이므로 시간이 더 오래 걸린 일은 음악 듣기입니다.

3 수영의 종류에는 자유형, 평영, 배영, 접영이 있습니다. 어느 수영 선수의 100 m 수영 기록입니다. 빠른 기록을 낸 수영 종류부터 차례로 써 보세요.

자유형	평영	배영	접영
63초	1분 15초	70초	1분 28초

(**자유형, 배영, 평영, 접영**)

❖ 1분 15초＝60초＋15초＝75초, 1분 28초＝60초＋28초＝88초
걸린 시간이 짧을수록 기록이 빠릅니다.
63＜70＜75＜88이므로 빠른 기록을 낸 수영 종류부터 차례로 쓰면
자유형, 배영, 평영, 접영입니다.

5. 길이와 시간 · 79

5
단원

유형 ② 도형의 변의 길이의 합 〔문제 해결〕

정답과 풀이 19쪽

1 다음은 네 변의 길이가 모두 같은 사각형과 세 변의 길이가 모두 같은 삼각형입니다.
각 도형의 모든 변의 길이의 합을 비교하려고 합니다. 사각형과 삼각형 중 어느
도형의 변의 길이의 합이 몇 cm 몇 mm 더 긴지 구해 보세요.

43 mm   5 cm 2 mm

❶ 사각형의 네 변의 길이의 합은 몇 cm 몇 mm일까요?

(**17 cm 2 mm**)

❖ (사각형의 네 변의 길이의 합)＝43×4＝172 (mm)
➔ 17 cm 2 mm

❷ 삼각형의 세 변의 길이의 합은 몇 cm 몇 mm일까요?

(**15 cm 6 mm**)

❖ 5 cm 2 mm＝52 mm
(삼각형의 세 변의 길이의 합)＝52×3＝156 (mm)
➔ 15 cm 6 mm

❸ 사각형과 삼각형 중 어느 도형의 변의 길이의 합이 몇 cm 몇 mm 더 긴지 차례로
써 보세요.

(**사각형**), (**1 cm 6 mm**)

❖ 17 cm 2 mm ＞ 15 cm 6 mm이고
17 cm 2 mm－15 cm 6 mm＝1 cm 6 mm이므로
사각형의 변의 길이의 합이 1 cm 6 mm 더 깁니다.

80 · Jump 3-1

2 다음은 네 변의 길이가 모두 같은 사각형과 세 변의 길이가 모두 같은 삼각형입니다.
사각형의 네 변의 길이의 합과 삼각형의 세 변의 길이의 합을 더하면 몇 cm 몇 mm인
지 구해 보세요.

2 cm 8 mm   37 mm

(**22 cm 3 mm**)

❖ 2 cm 8 mm＝28 mm
(사각형의 네 변의 길이의 합)＝28×4＝112 (mm)
(삼각형의 세 변의 길이의 합)＝37×3＝111 (mm)
➔ 112＋111＝223 (mm) ➔ 22 cm 3 mm

3 주어진 조건에 맞도록 □ 안에 알맞은 수를 써넣으세요.

(1)

22 mm

네 변의 길이의 합이
8 cm 8 mm인 정사각형

❖ 8 cm 8 mm＝88 mm이므로
□＋□＋□＋□＝88, □＝22입니다.

(2)

16 mm
1 cm 8 mm   2 cm 3 mm
33 mm

네 변의 길이의 합이
9 cm인 사각형

❖ 16 mm＝1 cm 6 mm이므로 주어진 세 변의 길이의 합은
1 cm 8 mm＋1 cm 6 mm＋2 cm 3 mm
＝5 cm 7 mm입니다.
따라서 사각형의 나머지 한 변의 길이는
9 cm－5 cm 7 mm＝3 cm 3 mm＝33 mm
입니다.

5. 길이와 시간 · 81

5
단원

유형 ③ 거리를 구하여 비교하기 · 문제 해결

1 호수 공원의 입구에서 팔각정까지 가는 길은 보트 타는 곳을 지나는 A코스와 통나무집을 지나는 B코스가 있습니다. A코스와 B코스 중 어느 코스로 가는 길이 몇 m 더 짧은지 구해 보세요.

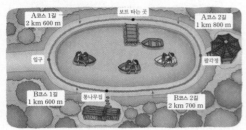

A코스 1길 2 km 600 m
보트 타는 곳
A코스 2길 1 km 800 m
입구
팔각정
B코스 1길 1 km 600 m
통나무집
B코스 2길 2 km 700 m

❶ A코스로 가는 길은 몇 km 몇 m일까요?
(**4 km 400 m**)

❖ (A코스 1길)+(A코스 2길)
 =2 km 600 m+1 km 800 m=4 km 400 m

❷ B코스로 가는 길은 몇 km 몇 m일까요?
(**4 km 300 m**)

❖ (B코스 1길)+(B코스 2길)
 =1 km 600 m+2 km 700 m=4 km 300 m

❸ A코스와 B코스 중 어느 코스로 가는 길이 몇 m 더 짧은지 차례로 써 보세요.
(**B코스**), (**100 m**)

❖ 4 km 400 m>4 km 300 m이므로 B코스로 가는 길이
 4 km 400 m−4 km 300 m=100 m 더 짧습니다.

---

2 집에서 도서관까지 가는 길은 병원을 거쳐서 가는 길과 주민센터를 거쳐서 가는 길이 있습니다. 병원과 주민센터 중 어디를 거쳐서 가는 길이 몇 m 더 짧은지 차례로 써 보세요.

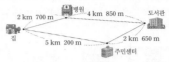

병원
2 km 700 m
4 km 850 m
도서관
집
5 km 200 m
2 km 650 m
주민센터

(**병원**), (**300 m**)

❖ 병원을 거쳐서 가는 길: 2 km 700 m+4 km 850 m
 =7 km 550 m
주민센터를 거쳐서 가는 길: 5 km 200 m+2 km 650 m
 =7 km 850 m

➡ 7 km 550 m<7 km 850 m이므로 병원을 거쳐서 가는 길
 이 7 km 850 m−7 km 550 m=300 m 더 짧습니다.

3 올림픽 대회에서 마라톤 경주의 거리는 42 km 195 m입니다. 다음을 보고 결승선까지 남은 거리가 가장 짧은 선수와 가장 긴 선수의 남은 거리의 차는 몇 km 몇 m인지 구해 보세요.

선수의 국적	현재까지 뛴 거리
대한민국	30 km 450 m
케냐	34 km 500 m
영국	28 km 150 m

❖ 결승선까지 남은 거리를 구해 보면 다음과 같습니다. (**6 km 350 m**)
대한민국: 42 km 195 m−30 km 450 m=11 km 745 m
케냐: 42 km 195 m−34 km 500 m=7 km 695 m
영국: 42 km 195 m−28 km 150 m=14 km 45 m
7 km 695 m<11 km 745 m<14 km 45 m이므로 결승선까지 남은 거리가 가장 짧은 선수는 케냐 선수이고 가장 긴 선수는 영국 선수입니다.

➡ 14 km 45 m−7 km 695 m=6 km 350 m

5 단원

유형 ④ 시간의 덧셈과 뺄셈 · 문제 해결

1 연재가 놀이공원에서 3가지 놀이기구를 탄 시간은 모두 15분 20초입니다. 범퍼카를 탄 시간은 몇 분 몇 초인지 구해 보세요.

회전목마 155초
범퍼카 ?
바이킹 7분 42초

❶ 회전목마를 탄 시간은 몇 분 몇 초일까요?
(**2분 35초**)

❖ 155초=120초+35초=2분 35초

❷ 회전목마와 바이킹을 탄 시간은 모두 몇 분 몇 초일까요?
(**10분 17초**)

❖ 2분 35초+7분 42초=10분 17초

❸ 범퍼카를 탄 시간은 몇 분 몇 초인지 구해 보세요.
(**5분 3초**)

❖ 15분 20초−10분 17초=5분 3초

---

2 다음은 서울 지하철 5호선의 역과 역 사이를 운행하는 데 걸린 시간을 나타낸 것입니다. 우장산역에서 신정역까지 운행하는 데 걸린 시간이 5분 50초라면 까치산역에서 신정역까지 운행하는 데 걸린 시간은 몇 분 몇 초인지 구해 보세요. (단, 지하철이 역에서 멈춰 있는 시간은 생각하지 않습니다.)

2분 15초 · 1분 50초 · ?
우장산 · 화곡 · 까치산 · 신정

(**1분 45초**)

❖ (우장산역에서 까치산역까지 운행하는 데 걸린 시간)
 =2분 15초+1분 50초=4분 5초

➡ (까치산역에서 신정역까지 운행하는 데 걸린 시간)
 =5분 50초−4분 5초=1분 45초

3 가은이가 피아노 학원과 태권도 학원에 있었던 시간을 나타낸 것입니다. 가은이가 피아노 학원과 태권도 학원에 있었던 시간은 모두 몇 시간 몇 분 몇 초인지 구해 보세요.

피아노 학원

시작한 시각 → 끝낸 시각

태권도 학원
 →
시작한 시각 → 끝낸 시각

(**3시간 19분 45초**)

❖ (피아노 학원에 있었던 시간)
 =3시 10분 25초−1시 20분 30초=1시간 49분 55초
(태권도 학원에 있었던 시간)
 =5시−3시 30분 10초=1시간 29분 50초
따라서 가은이가 피아노 학원과 태권도 학원에 있었던
시간은 1시간 49분 55초+1시간 29분 50초=3시간 19분 45초입니다.

5 단원

유형 ⑤ 길이의 덧셈과 뺄셈 · 창의·용합

정답과 풀이 21쪽

1 진주는 높이가 52 cm 6 mm인 탁자에 올라서서 바닥부터 머리끝까지의 길이를 재었더니 195 cm 3 mm였습니다. 진주가 높이가 485 mm인 의자에 올라서서 바닥부터 머리끝까지의 길이를 재면 몇 cm 몇 mm가 되는지 구해 보세요.

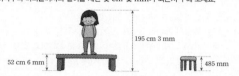

195 cm 3 mm
52 cm 6 mm
485 mm

① 진주의 키는 몇 cm 몇 mm일까요?

(**142 cm 7 mm**)

❖ (진주의 키)=(탁자에 올라섰을 때 바닥부터 머리끝까지의 길이)
－(탁자의 높이)
＝195 cm 3 mm－52 cm 6 mm
＝142 cm 7 mm

② 의자의 높이는 몇 cm 몇 mm일까요?

(**48 cm 5 mm**)

❖ 485 mm＝480 mm＋5 mm＝48 cm＋5 mm
＝48 cm 5 mm

③ 진주가 의자에 올라서서 바닥부터 머리끝까지의 길이를 재면 몇 cm 몇 mm가 되는지 구해 보세요.

(**191 cm 2 mm**)

❖ (진주의 키)＋(의자의 높이)＝142 cm 7 mm＋48 cm 5 mm
＝191 cm 2 mm

86 · Jump 3-1

2 용빈이는 높이가 62 cm 8 mm인 탁자에 올라서서 바닥부터 머리끝까지의 길이를 재었더니 212 cm 5 mm였습니다. 용빈이가 높이가 13 cm 5 mm인 벽돌에 올라서서 바닥부터 머리끝까지의 길이를 재면 몇 cm 몇 mm가 되는지 구해 보세요.

(**163 cm 2 mm**)

❖ (용빈이의 키)＝(탁자에 올라섰을 때 바닥부터 머리끝까지의 길이)
－(탁자의 높이)
＝212 cm 5 mm－62 cm 8 mm
＝149 cm 7 mm
(벽돌에 올라섰을 때 바닥부터 머리끝까지의 길이)
＝(용빈이의 키)＋(벽돌의 높이)
＝149 cm 7 mm＋13 cm 5 mm
＝163 cm 2 mm

3 채민이는 높이가 36 cm 5 mm인 의자에 올라서서 바닥부터 머리끝까지의 길이를 재었더니 180 cm 9 mm였습니다. 채민이가 탁자에 올라서서 바닥부터 머리끝까지 잰 길이가 207 cm 2 mm였다면 탁자의 높이는 몇 cm 몇 mm인지 구해 보세요.

180 cm 9 mm
36 cm 5 mm
207 cm 2 mm

(**62 cm 8 mm**)

❖ (채민이의 키)＝(의자에 올라섰을 때 바닥부터 머리끝까지의 길이)
－(의자의 높이)
＝180 cm 9 mm－36 cm 5 mm
＝144 cm 4 mm
(탁자의 높이)＝(탁자에 올라섰을 때 바닥부터 머리끝까지의 길이)
－(채민이의 키)
＝207 cm 2 mm－144 cm 4 mm
＝62 cm 8 mm

5단원

5. 길이와 시간 · 87

유형 ⑥ 늦어지는 시계, 빨라지는 시계 · 문제 해결

정답과 풀이 21쪽

1 하루에 15초씩 늦어지는 시계가 있습니다. 오늘 오전 9시에 이 시계를 정확히 맞추어 놓았다면 6일 후 오전 9시에 이 시계가 가리키는 시각을 구해 보세요.

① 하루가 지날 때마다 이 시계가 가리키는 시각을 알아보려고 합니다. 다음 시계에 초바늘을 알맞게 그려 보세요.

1일 후 오전 9시   2일 후 오전 9시   3일 후 오전 9시
4일 후 오전 9시   5일 후 오전 9시   6일 후 오전 9시

② 6일 동안 늦어지는 시간은 몇 분 몇 초일까요?

(**1분 30초**)

❖ 하루에 15초씩 늦어지므로
6일 동안에는 15초×6＝90초＝1분 30초 늦어집니다.

③ 6일 후 오전 9시에 이 시계가 가리키는 시각을 구해 보세요.

오전 (**8시 58분 30초**)

❖ 9시－1분 30초＝8시 58분 30초

88 · Jump 3-1

2 하루에 36초씩 늦어지는 시계가 있습니다. 오늘 오전 11시에 이 시계를 정확히 맞추어 놓았다면 5일 후 오전 11시에 이 시계가 가리키는 시각을 구해 보세요.

오전 (**10시 57분**)

❖ (5일 동안 늦어지는 시간)＝36초×5＝180초＝3분
➔ 11시－3분＝10시 57분

3 하루에 25초씩 빨라지는 시계를 오늘 오전 8시에 정확히 맞추어 놓았습니다. 다음 시계에 초바늘을 알맞게 그려 보고, 3일 후 오전 8시에 이 시계가 가리키는 시각을 구해 보세요.

1일 후 오전 8시   2일 후 오전 8시   3일 후 오전 8시

오전 (**8시 1분 15초**)

❖ (3일 동안 빨라지는 시간)＝25초×3＝75초＝1분 15초
➔ 8시＋1분 15초＝8시 1분 15초

4 하루에 13초씩 빨라지는 시계가 있습니다. 오늘 오전 10시에 이 시계를 정확히 맞추어 놓았다면 일주일 후 오전 10시에 이 시계가 가리키는 시각을 구해 보세요.

오전 (**10시 1분 31초**)

❖ 일주일은 7일이므로 일주일 동안 빨라지는 시간은
13초×7＝91초＝1분 31초입니다.
따라서 일주일 후 오전 10시에 이 시계가 가리키는 시각은
10시＋1분 31초＝10시 1분 31초입니다.

5단원

5. 길이와 시간 · 89

사고력 종합 평가

정답과 풀이 22쪽

1 일정한 거리를 달리는 대회에 출전한 선수 4명의 기록입니다. 기록이 빠른 사람부터 차례로 이름을 써 보세요.

선수 이름	선우	지수	종혁	민경
기록	300초	4분 55초	330초	5분 18초

❖ 지수: 4분 55초=240초+55초   (**지수, 선우, 민경, 종혁**)
=295초,
민경: 5분 18초=300초+18초=318초
시간이 짧을수록 기록이 빠른 것입니다. 295<300<318<330이므로 기록이
빠른 사람부터 차례로 이름을 쓰면 지수, 선우, 민경, 종혁입니다.

2 축구 경기가 4시 50분에 시작하여 2시간 20분 동안 진행되었습니다. 축구 경기가 끝난 시각은 몇 시 몇 분인지 구해 보세요.

(**7시 10분**)

❖ 4시 50분+2시간 20분=7시 10분

3 동혁이가 논술 학원에서 수업을 시작한 시각과 끝낸 시각입니다. 동혁이가 논술 수업을 한 시간은 몇 시간 몇 분 몇 초인지 구해 보세요.

시작한 시각   끝낸 시각

(**1시간 39분 50초**)

❖ 4시 10분 30초-2시 30분 40초=1시간 39분 50초

90 · Jump 3-1

4 두 연필의 길이의 합은 몇 cm 몇 mm인지 구해 보세요.

(**14 cm 2 mm**)

❖ 긴 연필의 길이는 8 cm 7 mm이고
짧은 연필의 길이는 5 cm 5 mm입니다.
→ 8 cm 7 mm+5 cm 5 mm=14 cm 2 mm

5 민재는 어제 2 km 465 m를 달렸고, 오늘은 어제보다 1 km 187 m를 더 달렸습니다. 민재가 어제와 오늘 달린 거리는 모두 몇 km 몇 m인지 구해 보세요.

(**6 km 117 m**)

❖ (오늘 달린 거리)=2 km 465 m+1 km 187 m
=3 km 652 m
→ (어제와 오늘 달린 거리)=2 km 465 m+3 km 652 m
=6 km 117 m

6 다음은 혜미가 국어, 영어, 수학 공부를 한 시간입니다. 국어, 영어, 수학 공부를 한 시간이 모두 4시간 20분이라면 영어 공부를 한 시간은 몇 시간 몇 분인지 ☐ 안에 알맞은 수를 써넣으세요.

국어	1시간 35분
영어	1 시간 15 분
수학	1시간 30분

❖ (국어와 수학 공부를 한 시간)=1시간 35분+1시간 30분
=3시간 5분
→ (영어 공부를 한 시간)=(국어, 영어, 수학 공부를 한 시간)
-(국어와 수학 공부를 한 시간)
=4시간 20분-3시간 5분=1시간 15분

5. 길이와 시간 · 91

사고력 종합 평가

정답과 풀이 22쪽

7 주어진 조건에 맞도록 ☐ 안에 알맞은 수를 써넣으세요. (단, ☐ 안에 들어갈 수는 같은 수입니다.)

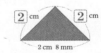

세 변의 길이의 합이
6 cm 8 mm인 삼각형

❖ (남은 두 변의 길이의 합)=6 cm 8 mm-2 cm 8 mm=4 cm
남은 두 변은 길이가 같고 4 cm=2 cm+2 cm이므로 ☐ 안에 알맞은 수는 2입니다.

8 다음은 서울 지하철 2호선의 역과 역 사이를 운행하는 데 걸린 시간을 나타낸 것입니다. 영등포구청역에서 홍대입구역까지 운행하는 데 걸린 시간이 6분 40초라면 영등포구청역에서 당산역까지 운행하는 데 걸린 시간은 몇 분 몇 초인지 구해 보세요. (단, 지하철이 역에서 멈춰 있는 시간은 생각하지 않습니다.)

영등포구청   당산   합정   홍대입구

❖ (당산역에서 홍대입구역까지 운행하는 데 걸린 시간)   (**2분 17초**)
=2분 25초+1분 58초=4분 23초
→ (영등포구청역에서 당산역까지 운행하는 데 걸린 시간)
=6분 40초-4분 23초=2분 17초

9 다음은 세 변의 길이가 모두 같은 삼각형과 네 변의 길이가 모두 같은 사각형입니다. 각 도형의 모든 변의 길이의 합을 비교하려고 합니다. 삼각형과 사각형 중 어느 도형의 변의 길이의 합이 몇 cm 몇 mm 더 긴지 차례로 써 보세요.

 39 mm   2 cm 6 mm

(**삼각형**). (**1 cm 3 mm**)

❖ (삼각형의 세 변의 길이의 합)=39×3=117 (mm)
2 cm 6 mm=26 mm이므로
(사각형의 네 변의 길이의 합)=26×4=104 (mm)
→ 117>104이므로 삼각형의 변의 길이의 합이
117 mm-104 mm=13 mm=1 cm 3 mm 더 깁니다.

92 · Jump 3-1

10 기차역에서 집까지 가는 길은 과학관을 거쳐서 가는 길과 우체국을 거쳐서 가는 길이 있습니다. 과학관과 우체국 중 어디를 거쳐서 가는 길이 몇 km 몇 m 더 짧은지 차례로 써 보세요.

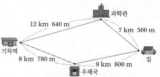
과학관
12 km 640 m   7 km 500 m
기차역
8 km 780 m   9 km 800 m   집
우체국

(**우체국**). (**1 km 560 m**)

❖ 과학관을 거쳐서 가는 길: 12 km 640 m+7 km 500 m=20 km 140 m
우체국을 거쳐서 가는 길: 8 km 780 m+9 km 800 m=18 km 580 m
→ 20 km 140 m>18 km 580 m이므로 우체국을 거쳐서 가는 길이
20 km 140 m-18 km 580 m=1 km 560 m 더 짧습니다.

11 하루에 15초씩 빨라지는 시계가 있습니다. 오늘 오전 8시에 이 시계를 정확히 맞추어 놓았다면 5일 후 오전 8시에 이 시계가 가리키는 시각을 구해 보세요.

오전 (**8시 1분 15초**)

❖ 하루에 15초씩 빨라지므로 5일 동안 빨라지는 시간은
15초×5=75초=1분 15초입니다.
따라서 5일 후 오전 8시에 이 시계가 가리키는 시각은
8시+1분 15초=8시 1분 15초입니다.

12 ㉡에서 ㉢까지의 거리는 몇 km 몇 m인지 구해 보세요.

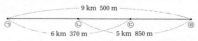
9 km 500 m
㉠   ㉡   ㉢   ㉣
6 km 370 m   5 km 850 m

(**2 km 720 m**)

❖ (㉡~㉢)=(㉠~㉡)+(㉢~㉣)-(㉠~㉣)
=6 km 370 m+5 km 850 m-9 km 500 m
=12 km 220 m-9 km 500 m
=2 km 720 m

5. 길이와 시간 · 93

사고력 종합 평가 정답과 풀이 23쪽

13 명훈이는 높이가 43 cm 8 mm인 의자에 올라서서 바닥부터 머리끝까지의 길이를 재었더니 187 cm 2 mm였습니다. 명훈이가 탁자에 올라서서 바닥부터 머리끝까지 잰 길이가 216 cm 5 mm였다면 탁자의 높이는 몇 cm 몇 mm인지 구해 보세요.

✤ (명훈이의 키)　　　　　　　　　　(**73 cm 1 mm**)
　=(의자에 올라섰을 때 바닥부터 머리끝까지의 길이)―(의자의 높이)
　=187 cm 2 mm―43 cm 8 mm=143 cm 4 mm
➡ (탁자의 높이)=(탁자에 올라섰을 때 바닥부터 머리끝까지의 길이)―(명훈이의 키)
　　　　　　　=216 cm 5 mm―143 cm 4 mm=73 cm 1 mm

14 현우와 효은이가 종이비행기를 목표 선을 향하여 날리고 있습니다. 현우의 종이비행기는 목표 선보다 16 cm 8 mm 더 길게 날았고, 효은이의 종이비행기는 목표 선보다 22 cm 7 mm 더 짧게 날아 보았습니다. 현우와 효은이가 종이비행기를 날린 거리의 차는 몇 cm 몇 mm인지 구해 보세요.

(**39 cm 5 mm**)

✤ 현우와 효은이가 종이비행기를 날린 거리의 차는 16 cm 8 mm와 22 cm 7 mm의 합과 같습니다.
　➡ 16 cm 8 mm+22 cm 7 mm=39 cm 5 mm

15 어느 날 해가 뜬 시각은 오전 6시 42분 55초이고 해가 진 시각은 오후 7시 13분 36초였습니다. 이날 밤의 길이는 몇 시간 몇 분 몇 초인지 구해 보세요.
　　　　　　　　　　　　　　　(**11시간 29분 19초**)

✤ 오후 7시 13분 36초=19시 13분 36초
　(낮의 길이)=(해가 진 시각)―(해가 뜬 시각)
　=19시 13분 36초―6시 42분 55초=12시간 30분 41초
➡ (밤의 길이)=24시간―(낮의 길이)
　　　　　=24시간―12시간 30분 41초=11시간 29분 19초

[GO! 매쓰]
여기까지 5단원 내용입니다.
다음부터는 6단원 내용이
시작합니다.

유형 ① **먹은 양 알아보기** 　문제 해결 정답과 풀이 23쪽

1 주호와 승기가 가지고 있는 피자는 모양과 크기가 같습니다. 피자를 각각 몇 조각씩 먹었는지 알아보세요.

> 주호: 나는 피자 한 판의 $\frac{2}{4}$를 먹었어.
>
> 승기: 나는 피자 한 판의 $\frac{4}{8}$를 먹었어.

❶ 주호와 승기가 먹은 피자의 양만큼 빗금을 그어 나타내어 보세요.

　　주호　　　　　승기

✤ 주호: 전체를 똑같이 4로 나눈 것 중의 2만큼 색칠합니다.
　승기: 전체를 똑같이 8로 나눈 것 중의 4만큼 색칠합니다.

❷ 주호가 먹은 피자는 몇 조각인지 써 보세요.
　　　　　　　　　　　(**4조각**)

❸ 승기가 먹은 피자는 몇 조각인지 써 보세요.
　　　　　　　　　　　(**4조각**)

2 혜미는 쿠키 2개를 각각 $\frac{1}{3}$씩 먹었습니다. 혜미가 먹은 쿠키의 양만큼 빗금을 그어 나타내어 보세요.

(예)

✤ 전체를 똑같이 3으로 나눈 것 중의 1만큼 칠합니다.

3 연우는 초콜릿을 똑같이 12조각으로 나누어 전체의 $\frac{3}{4}$만큼 먹었습니다. 연우가 먹은 초콜릿의 양만큼 빗금을 그어 나타내고 몇 조각을 먹었는지 구해 보세요.

(예)

(**9조각**)

✤ 전체를 똑같이 12조각으로 나눈 것 중의 $\frac{3}{4}$만큼 먹었으므로 9조각을 먹었습니다.

6 단원

유형 ② 고대 이집트 분수 창의·융합

정답과 풀이 24쪽

1 고대 이집트에서는 분수를 다음과 같이 나타내었습니다. 두 분수의 크기를 비교해 보세요.

$\frac{1}{3}$	$\frac{1}{4}$	$\frac{1}{5}$	$\frac{1}{6}$	$\frac{1}{7}$
$\frac{1}{8}$	$\frac{1}{9}$	$\frac{1}{10}$	$\frac{1}{2}$	$\frac{2}{3}$

❶ 을 분수로 나타내어 보세요.

($\frac{1}{4}$)

❷ 을 분수로 나타내어 보세요.

($\frac{1}{6}$)

❸ 알맞은 말에 ○표 하세요.

단위분수는 (분모), 분자)가 (클수록 , 작을수록) 더 큰 분수입니다.

❖ 단위분수: 분자가 1인 분수

$\frac{1}{\blacksquare}$, $\frac{1}{\blacktriangle}$에서 ■>▲이면 $\frac{1}{\blacksquare}$ < $\frac{1}{\blacktriangle}$입니다.

❹ 와 의 크기를 비교하여 ○ 안에 >, =, <를 알맞게 써넣으세요.

❖ $\frac{1}{4}$ ⊙ $\frac{1}{6}$
$\quad$ 4<6

98 · Jump 3-1

[2~4] 고대 이집트에서는 분수를 다음과 같이 나타내었습니다. 물음에 답하세요.

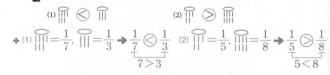

$\frac{1}{3}$	$\frac{1}{4}$	$\frac{1}{5}$	$\frac{1}{6}$	$\frac{1}{7}$
$\frac{1}{8}$	$\frac{1}{9}$	$\frac{1}{10}$	$\frac{1}{2}$	$\frac{2}{3}$

2 두 분수의 크기를 비교하여 ○ 안에 알맞게 >, =, <를 써넣으세요.

(1) ⊙ < (2) ⊙ >

❖ (1) $= \frac{1}{7}$, $= \frac{1}{3}$ → $\frac{1}{7}$ ⊙ $\frac{1}{3}$ (2) $= \frac{1}{5}$, $= \frac{1}{8}$ → $\frac{1}{5}$ ⊙ $\frac{1}{8}$
$\qquad$ 7>3 $\qquad\qquad\qquad$ 5<8

3 □ 안에 알맞은 단위분수를 고대 이집트 분수로 써넣으세요.

 ⊙ <

❖ $= \frac{1}{3}$이고 $\frac{1}{3}$보다 큰 단위분수는 $\frac{1}{2}$입니다.

$\frac{1}{2} = $

4 2부터 9까지의 수 중에서 □ 안에 알맞은 수를 모두 써 보세요.

$\frac{1}{\square} > $

❖ $= \frac{1}{6}$이고 $\frac{1}{\square} > \frac{1}{6}$에서 □<6입니다. (2, 3, 4, 5)

➡ □ 안에 알맞은 수는 2, 3, 4, 5입니다.

6 단원

6. 분수와 소수 · 99

유형 ③ 부분을 분수로 나타내기 문제 해결

정답과 풀이 24쪽

1 밭 전체의 $\frac{4}{16}$에는 가지를 심고, 나머지의 $\frac{1}{3}$에는 고구마를 심었습니다. 그리고 나머지의 $\frac{5}{8}$에는 고추를 심었다면, 아무것도 심지 않은 부분은 밭 전체의 몇 분의 몇인지 구해 보세요.

(예)

❶ 가지( )를 심은 곳에 보라색( )으로 색칠해 보세요.

❖ 전체 16칸 중에서 4칸에 색칠합니다.

❷ 고구마( )를 심은 곳에 갈색( )으로 색칠해 보세요.

❖ 남은 부분을 똑같이 3으로 나눈 것 중의 1만큼 색칠합니다.
➡ 4칸에 색칠합니다.

❸ 고추( )를 심은 곳에 빨간색( )으로 색칠해 보세요.

❖ 남은 부분을 똑같이 8로 나눈 것 중의 5만큼 색칠합니다.
➡ 5칸에 색칠합니다.

❹ 아무것도 심지 않은 부분은 밭 전체의 몇 분의 몇일까요?

❖ 가지, 고구마, 고추를 심은 부분을 뺀 ($\frac{3}{16}$)

나머지는 밭 전체의 $\frac{3}{16}$입니다.

100 · Jump 3-1

---

2 동물원 전체의 $\frac{4}{12}$에는 코끼리가 살고, 나머지의 $\frac{1}{4}$에는 원숭이가 삽니다. 그리고 나머지의 $\frac{5}{6}$에는 사자가 산다면, 아무것도 살지 않는 부분은 동물원 전체의 몇 분의 몇인지 구해 보세요.

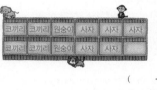

($\frac{1}{12}$)

❖ 코끼리, 원숭이, 사자가 사는 부분을 그림으로 나타내면 위의 그림과 같으므로 아무것도 살지 않는 부분은 전체의 $\frac{1}{12}$입니다.

3 우리를 똑같이 26칸으로 나누어 기린, 타조, 얼룩말이 살고 있습니다. 기린, 타조, 얼룩말이 사는 부분은 각각 우리 전체의 몇 분의 몇인지 구해 보세요.

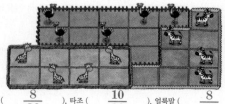

기린 ($\frac{8}{26}$), 타조 ($\frac{10}{26}$), 얼룩말 ($\frac{8}{26}$)

❖ 기린이 사는 부분은 전체를 똑같이 26칸으로 나눈 것 중 8칸이므로 $\frac{8}{26}$입니다.

타조가 사는 부분은 전체를 똑같이 26칸으로 나눈 것 중 10칸이므로 $\frac{10}{26}$입니다.

얼룩말이 사는 부분은 전체를 똑같이 26칸으로 나눈 것 중 8칸이므로 $\frac{8}{26}$입니다.

6 단원

6. 분수와 소수 · 101

유형 4 색칠한 부분을 분수로 나타내기 `추론`

정답과 풀이 25쪽

1 도형에서 색칠한 부분은 전체의 몇 분의 몇인지 구해 보세요.

❶ ㉡ 부분을 ㉠ 부분으로 옮겨 칠해 보세요.

❷ □ 안에 알맞은 수를 써넣으세요.

옮겨 색칠해 보니 색칠한 부분은 전체를 똑같이 6으로 나눈 것 중의 **1** 만큼입니다.

❸ 색칠한 부분은 전체의 몇 분의 몇일까요? ($\dfrac{1}{6}$)

✤ 전체를 똑같이 ■로 나눈 것 중의 ▲는 전체의 $\dfrac{▲}{■}$입니다.

102 · Jump 3-1

2 도형에서 색칠한 부분은 전체의 몇 분의 몇인지 □ 안에 알맞은 수를 써넣으세요.

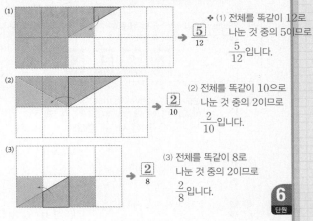

(1) → $\dfrac{\boxed{5}}{12}$

✤ (1) 전체를 똑같이 12로 나눈 것 중의 5이므로 $\dfrac{5}{12}$입니다.

(2) → $\dfrac{\boxed{2}}{10}$

(2) 전체를 똑같이 10으로 나눈 것 중의 2이므로 $\dfrac{2}{10}$입니다.

(3) → $\dfrac{\boxed{2}}{8}$

(3) 전체를 똑같이 8로 나눈 것 중의 2이므로 $\dfrac{2}{8}$입니다.

3 도형에서 색칠한 부분은 전체의 몇 분의 몇인지 구해 보세요.

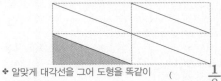

($\dfrac{1}{8}$)

✤ 알맞게 대각선을 그어 도형을 똑같이 나누어 봅니다.
색칠한 부분은 전체를 똑같이 8로 나눈 것 중 1이므로 $\dfrac{1}{8}$입니다.

6 단원

6. 분수와 소수 · 103

유형 5 조건을 만족하는 소수 `문제 해결`

정답과 풀이 25쪽

1 주어진 조건을 모두 만족하는 소수 한 자리 수를 구해 보세요.

· 0.2와 0.8 사이의 수입니다.
· $\dfrac{4}{10}$보다 작은 수입니다.

❶ 0.2와 0.8 사이의 소수 한 자리 수를 모두 써 보세요.
(0.3, 0.4, 0.5, 0.6, 0.7)
✤ ⓪.2, 0.3, 0.4, 0.5, 0.6, 0.7, ⓪.8

❷ $\dfrac{4}{10}$보다 작은 소수 한 자리 수를 모두 써 보세요.
→ 0.4 (0.1, 0.2, 0.3)
✤ 0.4보다 작은 소수 한 자리 수는 0.1, 0.2, 0.3입니다.

❸ ❶, ❷를 모두 만족하는 소수 한 자리 수를 써 보세요.
(0.3)
✤ ❶ ⓪.3, 0.4, 0.5, 0.6, 0.7
  ❷ 0.1, 0.2, ⓪.3

104 · Jump 3-1

2 주어진 조건을 모두 만족하는 소수 한 자리 수를 구해 보세요.

· 0.3과 0.9 사이의 수입니다.
· $\dfrac{7}{10}$보다 큰 수입니다.

(0.8)

✤ · 0.3과 0.9 사이의 소수 한 자리 수는 0.4, 0.5, 0.6, 0.7, 0.8입니다.
· 0.7보다 큰 소수 한 자리 수는 0.8, 0.9입니다.
➔ 모두 만족하는 수는 0.8입니다.

3 1부터 9까지의 수 중에서 □ 안에 공통으로 들어갈 수 있는 수를 구해 보세요.

· 0.□<0.6
· 5.4<5.□

(5)

✤ · 0.□<0.6에서 소수의 크기를 비교하면 □<6이므로 □=1, 2, 3, 4, 5입니다.
· 5.4<5.□에서 소수의 크기를 비교하면 4<□이므로 □=5, 6, 7, 8, 9입니다.
따라서 □ 안에 공통으로 들어갈 수 있는 수는 5입니다.

4 1부터 9까지의 수 중에서 □ 안에 공통으로 들어갈 수 있는 수는 모두 몇 개인지 구해 보세요.

· 2.□>2.4
· 6.□<6.9

(4개)

✤ · 2.□>2.4에서 소수의 크기를 비교하면 □>4이므로 □=5, 6, 7, 8, 9입니다.
· 6.□<6.9에서 소수의 크기를 비교하면 □<9이므로 □=1, 2, 3, 4, 5, 6, 7, 8입니다.
따라서 □ 안에 공통으로 들어갈 수 있는 수는 5, 6, 7, 8로 4개입니다.

6 단원

6. 분수와 소수 · 105

정답과 풀이 26쪽

유형 ⑥ 글자 카드로 소수 만들기 〈창의·융합〉

1 지민이는 4장의 글자 카드 중에서 3장을 뽑아 5보다 작은 소수를 만들려고 합니다. 지민이가 만들 수 있는 소수를 알아보세요.

 사 오 구 점

❶ 글자 카드로 만들 수 있는 소수를 모두 써 보세요.
(사 점 오, 사 점 구, 오 점 사, 오 점 구, 구 점 사, 구 점 오)

❷ ❶의 소수 중에서 5보다 작은 소수를 모두 써 보세요.
(사 점 오, 사 점 구)

❸ ❷의 소수를 모두 숫자로 나타내어 보세요.
(4.5, 4.9)

❖ 사 점 오 ➡ 4.5
　사 점 구 ➡ 4.9

2 석진이는 4장의 글자 카드 중에서 3장을 뽑아 7.5보다 큰 소수를 만들려고 합니다. 석진이가 만들 수 있는 소수를 모두 숫자로 나타내어 보세요.

 팔 점 이 칠
(7.8, 8.2, 8.7)

❖ 만들 수 있는 소수: 이 점 칠, 이 점 팔, 칠 점 이, 칠 점 팔, 팔 점 이, 팔 점 칠
➡ 이 중에서 7.5보다 큰 소수는 칠 점 팔(7.8), 팔 점 이(8.2), 팔 점 칠(8.7)입니다.

3 남준이가 5장의 글자 카드 중에서 3장을 뽑아 5보다 크고 8보다 작은 소수를 만들려고 합니다. 남준이가 만들 수 있는 소수를 모두 숫자로 나타내어 보세요.

 일 오 육 점 팔
(5.1, 5.6, 5.8, 6.1, 6.5, 6.8)

❖ 5보다 크고 8보다 작은 소수는 자연수 부분이 5, 6, 7입니다. 자연수 부분이 5인 소수를 만들면 오 점 일(5.1), 오 점 육(5.6), 오 점 팔(5.8)이고, 자연수 부분이 6인 소수를 만들면 육 점 일(6.1), 육 점 오(6.5), 육 점 팔(6.8)입니다.

6 단원

108쪽 ~ 109쪽

정답과 풀이 26쪽

사고력 종합 평가

1 재현이는 떡볶이를 만드는 데 양파 $\frac{3}{4}$개와 당근 $\frac{1}{2}$개, 양배추 $\frac{1}{4}$개를 사용했습니다. 재현이가 사용한 양만큼 각각 빗금을 그어 나타내어 보세요.

예

❖ 양파: 전체를 똑같이 4로 나눈 것 중의 3만큼 색칠합니다.
　당근: 전체를 똑같이 2로 나눈 것 중의 1만큼 색칠합니다.
　양배추: 전체를 똑같이 4로 나눈 것 중의 1만큼 색칠합니다.

2 메뚜기의 길이는 몇 cm인지 소수로 나타내어 보세요.

(1) 29 mm 　2.9 cm
(2) 48 mm 　4.8 cm

❖ 1 cm=10 mm이므로 29 mm=2.9 cm, 48 mm=4.8 cm입니다.

3 민호는 초콜릿을 똑같이 8조각으로 나누어 전체의 $\frac{3}{4}$만큼 먹었습니다. 민호가 먹은 초콜릿 조각만큼 빗금을 그어 나타내고 몇 조각을 먹었는지 구해 보세요.

예
(6조각)

❖ 전체를 똑같이 4로 나눈 것 중의 3만큼 색칠하면 6조각입니다. 따라서 민호는 초콜릿을 6조각 먹었습니다.

4 혜수는 치즈 케이크를 똑같이 8조각으로 나누어 그중에서 3조각을 먹었습니다. 남은 치즈 케이크는 전체의 얼마인지 분수로 나타내어 보세요.
($\frac{5}{8}$)

❖ 남은 조각은 8−3=5(조각)입니다. 전체를 똑같이 8로 나눈 것 중의 5가 남았으므로 분수로 나타내면 $\frac{5}{8}$입니다.

5 태형이는 오른쪽과 같은 별 모양 그림의 $\frac{2}{5}$만큼 색칠하려고 합니다. 태형이가 색칠할 부분은 $\frac{1}{10}$이 몇 개인 수일까요? 또, 0.1이 몇 개인 수일까요?
(4개), (4개)

❖ $\frac{2}{5}$는 전체를 똑같이 5로 나눈 것 중의 2이고 색칠해 보면 똑같이 10으로 나눈 것 중의 4와 같습니다. ➡ $\frac{4}{10}$는 $\frac{1}{10}$이 4개인 수입니다.
$\frac{1}{10}$=0.1이므로 0.1이 4개인 수입니다.

6 2부터 9까지의 수 중에서 □ 안에 들어갈 수 있는 수는 모두 몇 개인지 구해 보세요.

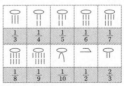

| $\frac{1}{3}$ | $\frac{1}{4}$ | $\frac{1}{5}$ | $\frac{1}{6}$ | $\frac{1}{7}$ |
| $\frac{1}{8}$ | $\frac{1}{9}$ | $\frac{1}{10}$ | $\frac{1}{2}$ | $\frac{2}{3}$ |

 $<\frac{1}{\square}$

❖ $=\frac{1}{5}$
(3개)

$\frac{1}{5}<\frac{1}{\square}$이고 단위분수는 분모가 클수록 분수의 크기가 더 작으므로 5>□이어야 합니다.
따라서 □ 안에 들어갈 수 있는 수는 2, 3, 4로 모두 3개입니다.

6 단원

❖ 악어: 14칸, 하마: 16칸, 오리: 13칸
→ 16>14>13이므로 하마가 사는 곳이 가장 넓습니다.
전체가 43칸이고, 하마는 16칸에 살므로
하마가 사는 곳은 전체의 $\frac{16}{43}$입니다.

사고력 종합 평가

7 우리를 똑같이 43칸으로 나누어 악어, 하마, 오리가 살고 있습니다. 가장 넓은 곳에서 사는 동물을 쓰고, 그 동물이 사는 곳은 전체의 몇 분의 몇인지 구해 보세요.

(하마), ($\frac{16}{43}$)

8 밭 전체의 $\frac{2}{12}$에는 감자를 심고, 나머지의 $\frac{2}{5}$에는 가지를 심었습니다. 그리고 나머지의 $\frac{1}{6}$에는 오이를 심었다면 아무것도 심지 않은 부분은 밭 전체의 몇 분의 몇인지 구해 보세요.

❖ 감자, 가지, 오이를 심은 부분을 뺀 나머지는 ($\frac{5}{12}$)
전체의 $\frac{5}{12}$입니다.

9 눈이 1부터 6까지인 주사위 2개를 던져서 나오는 두 수를 이용하여 소수 한 자리 수를 만들려고 합니다. 5보다 큰 소수는 모두 몇 개 만들 수 있을까요?

❖ 만들 수 있는 소수 한 자리 수를 ■.▲ (12개)
라고 하면 두 개의 주사위를 던졌으므로 ■=▲인 경우도 포함됩니다.
따라서 만들 수 있는 소수 ■.▲ 중 5보다 큰 수는 5.1, 5.2, 5.3, 5.4, 5.5, 5.6, 6.1, 6.2, 6.3, 6.4, 6.5, 6.6으로 모두 12개입니다.

10 100원짜리 동전 한 개의 길이는 26 mm, 10원짜리 동전 한 개의 길이는 18 mm입니다. 선분 ㄱㄴ의 길이는 몇 cm인지 소수로 나타내어 보세요.

(10.6 cm)

❖ 26+26+18+18+18=106 (mm)=10.6 (cm)

11 도형에서 색칠한 부분은 전체의 몇 분의 몇인지 □ 안에 알맞은 수를 써넣으세요.

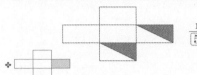

$\frac{1}{5}$

❖

→ 색칠한 부분은 전체를 똑같이 5로 나눈 것 중의 1과 같으므로
$\frac{1}{5}$입니다.

12 부분을 보고 전체를 그려 보세요.

(예)

❖ 주어진 부분은 전체를 똑같이 6으로 나눈 것 중의 2이므로 주어지지 않은 부분 $\frac{4}{6}$만큼을 생각하여 전체에 알맞은 도형을 그립니다.

6 단원

사고력 종합 평가

13 주어진 수 카드 중에서 2장을 뽑아 □ 안에 넣어 2.5보다 크고 6.2보다 작은 소수 한 자리 수를 만들려고 합니다. 만들 수 있는 소수는 모두 몇 개인지 써 보세요.

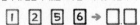 → □.□

(5개)

❖ 자연수 부분이 2인 경우 → 2.6 ⎱
자연수 부분이 5인 경우 → 5.1, 5.2, 5.6 ⎰ → 5개
자연수 부분이 6인 경우 → 6.1

14 주어진 조건을 모두 만족하는 소수 한 자리 수는 얼마인지 구해 보세요.

• $\frac{7}{10}$보다 작은 수입니다.
• 0.1이 5개인 수보다 큰 수입니다.

(0.6)

❖ $\frac{7}{10}$=0.7이고 0.1이 5개인 수는 0.5이므로 0.5보다 크고 0.7보다 작은 소수 한 자리 수는 0.6입니다.

15 1부터 9까지의 수 중에서 □ 안에 들어갈 수 있는 수를 구해 보세요.

$\frac{1}{10}$이 4개인 수<0.□<0.1이 6개인 수

(5)

❖ $\frac{1}{10}$이 4개인 수 → $\frac{4}{10}$=0.4 ⎱
0.1이 6개인 수 → 0.6 ⎰ → 0.4<0.□<0.6이므로 □=5입니다.

16 철사 1 m를 똑같이 10조각으로 나누어 그중 지현이가 3조각, 용빈이가 5조각을 사용했습니다. 지현이와 용빈이가 사용한 철사의 길이는 각각 몇 m인지 소수로 나타내어 보세요.

지현 (0.3 m), 용빈 (0.5 m)

❖ 한 조각의 길이가 $\frac{1}{10}$ m=0.1 m이고, 지현이가 사용한 철사의 길이는 0.1 m가 3개이므로 0.3 m입니다.
용빈이가 사용한 철사의 길이는 0.1 m가 5개이므로 0.5 m입니다.

[GO! 매쓰]
수고하셨습니다.

Memo

누구나
쉽고 재미있게
시작하는

노크
시리즈

사고력 수학 노크(총 40권)

PA단계(8권)	**A단계**(8권)	**B단계**(8권)	**C단계**(8권)	**D단계**(8권)
7~8세 권장	8~9세 권장	9~10세 권장	10~11세 권장	11~12세 권장

영역별 구성

창의력과 **사고력**이
쑥쑥 자라는 수학 전문서

 실생활 소재로 수학의 흥미와 관심 UP!

 다양한 유형의 창의력 문제 수록

 융합적 사고력을 높여주는 구성

 초등 수학과 연계

GO! 매쓰

GO!

수학 **3**-1

정답과 풀이